FRENCH ONCE A WEEK

BOOK I

By

P. H. HARGREAVES, B.A., F.I.L.

A. SHELDON, L. ès L.

J. FERRO, B.A.

With a foreword by

A. J. JENKINSON

Principal, Bolton Technical College

BASIL BLACKWELL · OXFORD

0 631 97290 0

ALSO IN THIS SERIES

FRENCH ONCE A WEEK, BOOK II
GERMAN ONCE A WEEK, BOOKS I and II
SPANISH ONCE A WEEK
ENGLISH ONCE A WEEK

First published in 1961
Reprinted, November, 1962
Revised, April, 1964
Reprinted 1965
Reprinted 1966
Reprinted 1967
Reprinted 1970
Reprinted 1971
Reprinted 1972
Reprinted 1973

Printed by offset in Great Britain by
Alden & Mowbray Ltd
at the Alden Press, Oxford
and bound at Kemp Hall Bindery

FOREWORD AND BACKGROUND

by

A. J. JENKINSON

Principal, Bolton Technical College

For five years in the 1930s I was responsible for the Modern Language Method course in the Education Department of a University College (now a University), and became convinced that the most powerful instruments in language teaching would be fashioned out of the new technique of word frequency. Michael West had already demonstrated how subtle and how effective such an instrument could be in his course for teaching English to Asiatics. He had also shown that good text-books are not so much the product of intuition from experience as of experiment and repeated trial based on a sound view of word frequency. However, I was not satisfied with the word counts then available in French and other modern languages; as bases for language text-books they seemed less satisfactory than, in principle, I would have expected.

In 1951 the French Ministry of Education first made available *Le Français Elémentaire*. This was based on a new machine: the tape recorder, which had allowed the recording and analysis of spoken French. For the first time frequencies of words (and grammatical usages) in a spoken language were available to writers of text-books. Moreover, the French devised, for the first time, a convincing technique for dealing with those useful, indispensable, but not very frequent words (such as bus, grocer, stamp) that seem to escape the normal word-frequency list, and thus bring it into disfavour amongst teachers.

In 1958, Mr. P. H. Hargreaves was appointed to the staff of Bolton Technical College, and showed unusual enterprise in dealing with the problems of teaching modern languages to adults. He responded to the challenge of *Le Français Elémentaire*. He decided to correct and 'Anglicize' its word list by using also Schonell's *Oral Vocabulary of the Australian Worker* and Thorndike and Lorge's list of the 500 commonest English words. It is evident that words appearing on all three of these lists must be regarded as of the very highest priority. Since Mr. Hargreaves was concerned with a reading approach, he decided also to make use of cognates, i.e. of words so like English words as to be easily recognized, regardless of frequency.

He found two part-time teachers, Mrs. J. Ferro and Mrs. A. P. Sheldon, to help him, and they went ahead with the construction of the first and then the second year of a course, restricting themselves to some 900 words from the Bolton Word List in the first year and to all the words in the Bolton List in the second. These courses were constructed lesson by lesson, tried out on classes, modified, tried out again, and so on until the three teachers were satisfied that they had a useful course for beginners approaching French through reading.

It is hoped that other teachers will devise similar or better courses, in other languages, based on the Bolton Word List, maybe amended for each language. We believe that, if they do, the early stages of learning modern languages will become more agreeable and more profitable, and that even those who can spend only a little time each week on the language will, after a course of one year or two years, emerge with some genuine 'surrender value'.

(NOTE: *Le Français Elémentaire* is now called *Le Français Fondamental Ier Degré*.)

AUTHORS' FOREWORD

This book is designed for those who have neither the time nor the opportunity to study every day—for example, evening-school students. Such people are anxious to acquire rapidly a small but useful vocabulary with enough grammar to enable them to read French, to understand an everyday conversation, and to express themselves with reasonable fluency. They are not perfectionists—they are mainly interested in 'using' French.

To meet the requirements of such students we have devised simple texts on everyday matters, using a vocabulary of fewer than 1,000 words—many of them easily recognizable—selected from word-frequency counts. Right from the beginning, therefore, the student gains confidence and does not feel that he is wasting time or effort.

The Grammar notes are as simple as possible. Only two tenses, the present and perfect, are used, plus 'aller'. Irregular verbs are reduced to a minimum and evenly spaced out over the course.

Most of the exercises are intended to be done *orally*. Students who wish to do so can do them in writing for homework—though this is not an essential part of the course. The most useful homework that students can do is to learn verbs and verbal forms.

This course has been devised to meet the evening-school situation. Constant experiment and correction over a period of three years have produced a book in which the authors have confidence based on personal teaching experience.

FRENCH ONCE A WEEK

TEXT 1

LA FAMILLE BOURJOIS

John est un étudiant anglais. Il étudie le français **à** l'université **de** Manchester. Il est **grand,** blond et timide. Il est invité **dans** le village d'Obernai **en** Alsace **par** une famille française. La famille Bourjois est une famille de cinq (5) personnes; le père, Monsieur Bourjois; la mère, Madame Bourjois; et les trois (3) enfants: Jacques, Richard et Anne. Monsieur Bourjois est le docteur d'Obernai. Les trois enfants sont à l'université de Strasbourg. Jacques étudie la médecine, Richard étudie l'anglais et l'italien, **mais** Anne est une artiste, elle étudie la sculpture! La maison de la famille Bourjois est dans la rue principale.

John arrive à la **gare.** Richard est à la gare.

— Bonjour, John.

— Bonjour, Richard.

Richard arrive **avec** John à la maison dans la rue principale. Madame Bourjois est à la porte. Elle est petite et gaie.

— Vous êtes John. **Entrez!** Je suis Madame Bourjois. Vous êtes fatigué?

— Bonjour, Madame. **Oui**, je suis fatigué, mais je suis content d'être en Alsace.

Les deux (2) garçons sont dans la salle à manger. Monsieur Bourjois et Anne sont **là**, mais Jacques, le frère de Richard, est absent. Il est à l'hôpital à Strasbourg.

— Bonjour, John. Je suis le docteur Bourjois et le père de Richard.

— Bonjour, Monsieur.

— Bonjour, John. Je suis Anne, la soeur de Richard.

— Bonjour, Anne.

Le docteur est grand avec un long visage et des moustaches. Anne est une belle jeune fille. Elle est gaie et agréable.

Les cinq personnes sont à table dans la salle à manger. La

famille commence le repas. Les hors-d'oeuvre sont délicieux. Le vin **aussi** est délicieux.

Bon appétit!

Vocabulary:	à	at, to	avec	with
	de	of	entrez!	come in!
	dans	in, into	oui	yes
	en	in	là	there
	par	by	aussi	also
	mais	but	grand	tall, big
	la gare	the station		

(The words found in the Vocabulary are printed in bold type in the text.)

GRAMMAR NOTES FOR TEXT I

1. All nouns in French are either MASCULINE or FEMININE.

When we say: there is a book, **it** is on the table, the French say: there is a book, **he** is on the table, or: there is a flower, **she** is on the table.

The gender of every noun has to be learned by heart, as there is no way of knowing its gender from its appearance.

Genders are shown by the words for 'the' and 'a, an' which go in front of each noun.

THE in front of a **masculine** noun is LE THE in front of a **feminine** noun is LA	Plural for both is LES
A, AN in front of a **masculine** noun is UN A, AN in front of a **feminine** noun is UNE	Plural for both is DES (some)

Examples:

le village (masculine)	*the* village
les villages (masculine plural)	*the* villages
la famille (feminine)	*the* family
les familles (feminine plural)	*the* families
un étudiant (masculine)	*a* student
des étudiants (masculine plural)	*some* students
une maison (feminine)	*a* house
des maisons (feminine plural)	*some* houses

Notes:

a. **les** and **des** are the same for both **masculine** and **feminine** and therefore cannot indicate the gender of the nouns following them.

b. **le** and **la** before a word beginning with a **vowel** or sometimes the **letter 'h'** become **l'** : **l'**étudiant : **l'**hôpital.

2. Plurals. To make nouns plural, the general rule is to add s to the **singular**, but when the noun already ends in s in the singular, there is no change in the plural.

LE repas — the meal. LES repas — the meals

3. The irregular verb ETRE — to be. (To be learned by heart)

je suis	I am
tu es	you are (one person only)
il est	he is (or it is)
elle est	she is (or it is)
nous sommes	we are
vous êtes	you are (more than one person. Also the polite singular)
ils sont	they are (masculine)
elles sont	they are (feminine)

Note:

Other verbs are used in this text. Their meaning can easily be guessed and you will learn more about them in lesson 3.

4. Numbers 1 to 10

1	un, une	6	six
2	deux	7	sept
3	trois	8	huit
4	quatre	9	neuf
5	cinq	10	dix

EXERCISES FOR TEXT 1

1. Answer the questions, *bearing in mind that 'qui' = 'who' and 'où' = 'where'.*

Qui est Richard? Qui est Anne? Qui est Monsieur Bourjois? Qui est Madame Bourjois? Qui êtes-vous? Où est Richard? Où est Madame Bóurjois? Où est Jacques? Où est la maison de la famille Bourjois? Où êtes-vous?

2. Pronounce the following words, putting the correct form of the word THE (le, la, l', les), A, AN (un, une), or SOME (des) before each noun.

(1) famille. (2) village. (3) étudiant. (4) maison. (5) rue. (6) gare. (7) enfant. (8) porte. (9) repas. (10) étudiants. (11) visage. (12) garçons. (13) père. (14) soeur. (15) maisons. (16) enfants. (17) mères. (18) moustaches. (19) hôpital. (20) vin.

3. Complete the following sentences with the correct part of ETRE:

(1) John... un étudiant anglais. (2) Je... un étudiant. (3) Anne... une belle jeune fille. (4) Vous... les enfants de Monsieur Bourjois. (5) Nous... en Alsace. (6) Tu... fatigué. (7) Vous... à la gare. (8) Je... grand et blond. (9) Les enfants... à l'Université. (10) Nous... dans le salon.

4. Arithmetic. Do the following additions, writing out the numbers in full. (*Note:* 'font' means 'make'.)

2 et 4 font ?
1 et 5 font ?
4 et 6 font ?
1 et 7 font ?
6 et 3 font ?
2 et 1 font ?
3 et 5 font ?
1 et 9 font ?
3 et 4 font ?
5 et 2 font ?

5. Translate into English:

Nous sommes des étudiants anglais. Etes-vous dans la salle à manger? Je suis le docteur. Es-tu français? Anne est une belle fille. Les maisons sont dans la rue principale.

TEXT 2

DANS LA SALLE A MANGER

Les repas ont une grande importance en France. **Après** les hors-d'oeuvre, **il y a un poulet.** La sauce du poulet est délicieuse.

La table est splendide avec des fleurs magnifiques. Les Bourjois ont un grand jardin. Madame Bourjois aime les fleurs. Elle a des roses et des tulipes au jardin.

Au centre de la table il y a des fruits : des oranges, des bananes et des pêches.

— **C'est** un repas délicieux, Madame, **dit** John. **J'ai faim** et j'aime les repas français.

En France, le petit déjeuner est le repas du matin, le déjeuner est le repas de midi, et le dîner est le repas du soir.

— Avez-vous une bicyclette **ici,** John ? **Où** est-elle ? dit Anne.

— Oui, j'ai une bicyclette **noire;** elle est à la gare.

— Nous aussi avons des bicyclettes, elles sont rouges et bleues. Nous avons une tente et du matériel de camping. As-tu un Kodak?

— Oui, j'ai un Kodak et j'ai des photographies en couleurs d'Angleterre. **Voici** la photo de la maison dans une rue principale de Bolton, et voici Papa et le chien au jardin.

Il passe les photos aux parents de Richard.

— John, une banane **ou** une orange ? dit Madame Bourjois.

— **Non merci,** Madame. Elles sont délicieuses, mais je préfère une pêche, elles sont rares en Angleterre.

Après les fruits, Anne prépare le café. La famille passe une heure agréable au salon.

Vocabulary:

après	after	où	where
il y a	there is, are	ou	or
c'est	it is	merci	thank you
dit	says	non merci	no thank you
avoir faim	to be hungry	un poulet	a chicken
ici	here	noir	black
voici	here is, here are		

GRAMMAR NOTES FOR TEXT 2

5. Adjectives. In the last lesson we learned that all nouns are either masculine or feminine. *Adjectives* copy the nouns they accompany *exactly*.

If the noun is feminine singular, the adjective is feminine singular.

If the noun is masculine plural, the adjective is masculine plural.

Agreement of Adjectives: To the masculine singular form add:

E to make it feminine singular
S to make it masculine plural
ES to make it feminine plural

Examples:

le livre **bleu**	the blue book (masc. sing.)
une maison **bleue**	a blue house (fem. sing.)
les salons **bleus**	the blue lounges (masc. plur.)
les bicyclettes **bleues**	the blue bicycles (fem. plur.)

Some adjectives end in 'e' in the masculine and do not change for the feminine:

le **jeune** garçon: la **jeune** fille

Some ending in 'eux' in the masculine, change the 'eux' to 'euse' in the feminine:

le repas délici**eux**: la sauce délici**euse**

6. Use of the word de—of. When followed by the definite article it means *either* **'of the'** *or* **'some'.**

In the masculine singular and masculine plural there are special forms: DU (for 'de le') and DES (for 'de les').

You can never write DE LE *or* DE LES *in this sense in French.*

Examples:

DU: la sauce **du** poulet	the sauce *of the* chicken
nous avons **du** matériel	we have *some* material
DE LA: le centre **de la** table	the centre *of the* table
j'ai **de la** sauce	I have *some* sauce

DE L': un étudiant **de** **l'université** — a student *of the* University
j'ai **de l'encre** — I have *some* ink
DES: la couleur **des** bicyclettes — the colour *of the* bicycles
elle a **des** fleurs bleues — she has *some* blue flowers

7. Use of the word à—at, to (sometimes in). This word also has a special form for the masculine singular and masculine and feminine plurals.

AU (for à le) and AUX (for à les)

You can never write A LE *or* A LES *in this sense in French.*

Examples:

AU: **au** centre de la table — *in the* centre of the table
A LA: **à la** gare — *at the* station
A L': **à l'**hôpital — *at the* hospital
AUX: il passe les photos **aux** parents — he passes the photos *to the* parents

8. The irregular verb AVOIR—to have

j'ai	I have
tu as	you have (sing.)
il a	he, it has
elle a	she, it has
nous avons	we have
vous avez	you have (plural or polite sing.)
ils ont	they have (masc.)
elles ont	they have (fem.)

Note: The expression 'to be hungry' is translated in French as 'to have hunger' using the verb **avoir,** *not the verb* **être.**

J'ai faim — I *am* hungry. nous **avons** faim — we *are* hungry

EXERCISES FOR TEXT 2

1. **Answer the questions:** Qui est dans la salle à manger? Qui a des roses? Qui a une bicyclette? Qui a une tente? Qui est au salon? Où sont les fleurs? Où sont les fruits? Où est la bicyclette de John? Où est la famille Bourjois?

2. **Complete with the correct part of AVOIR:**
(1) Vous... un Kodak. (2) Anne... une bicyclette. (3) Les Bourjois... une maison bleue. (4) Nous... un grand jardin. (5) J'... un frère. (6) Tu... des fruits. (7) Il ... une photographie. (8) Elles... des fleurs. (9) Elle... une tente. (10) Qui... un chien?

3. **Complete the following** with the correct form of the adjective in brackets:

(1) (BLEU) (*a*) la bicyclette est...
(*b*) le salon est...
(*c*) les maisons sont...

(2) (DELICIEUX) (*a*) les fruits sont...
(*b*) la pêche est...
(*c*) les oranges sont...

(3) (JEUNE) (*a*) les garçons sont...
(*b*) la fille est...
(*c*) les poulets sont...

(4) (GRAND) (*a*) les repas sont...
(*b*) le jardin est...
(*c*) les bananes sont...

4. **Complete with either du, de la, de l', or des as required:**
(1) La sauce... poulet. (2) la photographie... maison. (3) la mère... enfants. (4) la maison... Bourjois. (5) la bicyclette... étudiant.

5. **Complete with either au, à la, à l', or aux as required:**
(1) Jacques est... hôpital. (2) Les bicyclettes sont... gare. (3) La famille est... salon. (4) Je suis... maison. (5) Madame Bourjois est... jardin.

TEXT 3

UN PIQUE-NIQUE

C'est **aujourd'hui** dimanche. Le **ciel** est bleu et les Bourjois décident d'aller en excursion dans les montagnes.

Madame Bourjois et Anne préparent le pique-nique **à la hâte.** Monsieur Bourjois va au garage et prépare l'auto. La famille monte joyeusement dans la Citroën. John est content d'être **près d'**Anne.

— Nous allons monter au sommet des Vosges, dit Monsieur Bourjois. La vue est superbe **quand** l'air est clair.

L'auto monte **sans** hâte. Elle va lentement mais sûrement. Monsieur Bourjois est bon chauffeur. La route est belle, elle monte **entre** les forêts de sapins. La rivière murmure dans la vallée.

— Je vais placer l'auto **devant** l'hôtel, dit Monsieur Bourjois. Nous allons monter au sommet avec le pique-nique. Tu portes le panier, Richard?

— Je porte les fruits, dit John.

Les Bourjois vont au sommet. Anne, Richard et John marchent rapidement. Monsieur et Madame Bourjois marchent **derrière** les jeunes gens.

— Anne, Richard et John, vous montez vite. Allez au sommet et préparez le pique-nique, dit Madame Bourjois. Nous montons lentement.

Richard et John étudient la vue avec Monsieur Bourjois. Ils admirent les Vosges, la plaine d'Alsace, et la Forêt-Noire. Les Alpes sont indistinctes.

— C'est superbe ici, dit John. La vue **sur** la plaine est admirable.

A midi, ils mangent le pique-nique avec Madame Bourjois et Anne.

Vocabulary.		
	aujourd'hui	to-day
	à la hâte	in haste, hastily
	devant	before, in front (of)
	derrière	behind
	près (de)	near (to)
	le ciel	the sky

quand	when
sans	without
entre	between, among
sur	on, upon, over

GRAMMAR NOTES FOR TEXT 3

9. Verbs in -er. You have now learned the verbs 'avoir' and 'être', called 'irregular' because they have special forms of their own. Now we come to 'regular' verbs, that is, a large number of verbs which all have the **same** endings so that once you have learned these endings, you can use any verbs of the same group without having to learn each one separately. The first of these groups consists of verbs ending in **-er** when they mean **to** eat, **to** like, **to** study, etc. (the infinitive). The endings are added to the **root** of the verb, which is that part of the verb coming in front of the -er.

Thus: **monter** — to go up (root **MONT**) **aimer** — to like (root **AIM**).

The endings are: E, ES, E, ONS, EZ, ENT *and are the same for all verbs in this -er group.*

Present Tense.	-er verbs **PREPARER** — to prepare
je prépar**e**	I prepare, I am preparing, I do prepare
tu prépar**es**	you prepare
il prépar**e**	he (she, it) prepares
nous prépar**ons**	we prepare
vous prépar**ez**	you prepare
ils prépar**ent**	they prepare

It is especially important to remember that there are **THREE** *ways of expressing the present tense in English but* **ONLY ONE** *in French.*

— I prepare
je prépare — I am preparing
— I do prepare

10. Adverbs. These are usually formed by adding 'ment' to the **feminine** form of the **adjective.**

Examples:

Masculine Singular	*Feminine Singular*	*Adverb*	*English*
joyeux	joy**euse**	joyeusement	joyfully
sûr	sû**re**	sûrement	surely
rapide	rapide	rapidement	rapidly
lent	lent**e**	lentement	slowly

Note: Some adverbs are not formed from adjectives.
Examples: vite — quickly; souvent — often.

11. The irregular verb ALLER—to go, *or* to be going to

je vais	I go, do go, am going, am going to
tu vas	you go, are going to
il va	he (she, it) goes, is going to
nous allons	we go, are going to
vous allez	you go, are going to
ils vont	they go, are going to

12. Days of the week

dimanche	Sunday	jeudi	Thursday
lundi	Monday	vendredi	Friday
mardi	Tuesday	samedi	Saturday
mercredi	Wednesday		

Note: The days of the week do NOT have a **capital letter** *in French.*

EXERCISES FOR TEXT 3

1. Answer the questions: (*Note.* 'Comment?' means 'how?' You must use an adjective in your answers.
Example: Comment est le ciel? Le ciel est *bleu*)

Où vont les Bourjois? Qui prépare le pique-nique? Comment est l'air? Comment est la route? Où est la rivière? Où est l'auto? Qui va au sommet de la montagne? Qui marche vite? Qui porte les fruits? Comment est la vue?

2. Complete with the correct form of ALLER:
(1) Monsieur Bourjois... au garage. (2) Les parents... derrière les jeunes gens. (3) Vous... devant l'hôtel. (4) Je... à la gare. (5) Tu... en excursion.

3. **(Revision.)** Put the correct form of the verb in brackets:

(1) John (être) un étudiant anglais. (2) Il (aller) en France par le train. (3) Il (avoir) un ami français. (4) Richard (avoir) une soeur, Anne. (5) Elle (aller) à l'Université de Strasbourg. (6) Monsieur Bourjois (être) le docteur du village. (7) Vous (être) aussi un étudiant. (8) Vous (aller) au collège en autobus. (9) Vous (avoir) un livre français. (10) Les enfants (aller) au sommet.

4. **Form adverbs** from the following adjectives:

délicieux : agréable : clair : indistinct : superbe.

5. **Make simple sentences** from the following pairs of words, using one of the pronouns (je, tu, il, etc.) as the subject of the sentence and making the correct change to the verb ending.

préparer	pique-nique	monter	sommet
aimer	fruits	porter	fleurs
admirer	vue	étudier	français

TEXT 4

EXAMENS

Il pleut aujourd'hui, lundi. La famille Bourjois reste à la maison. Richard et John sont au salon. Richard étudie un livre anglais, et John étudie un livre français. Anne n'est pas à la maison; elle est à Strasbourg **parce qu'**elle n'est pas en vacances.

Le salon est une belle chambre, grande et claire. Richard ferme les fenêtres parce qu'il pleut. Sur une petite table il y a un vase blanc avec des fleurs rouges et blanches.

— **Qu'est-ce que** tu fais? dit John.

— J'étudie un livre de littérature **pour** l'examen d'octobre. Oh, c'est difficile!

— **Qu'est-ce qui** est difficile? dit John.

— Les examens de littérature. Est-ce que tu aimes la littérature?

— Oui, mais les examens sont **toujours** difficiles.

— La prononciation anglaise est terrible pour un Français, dit Richard. Est-ce que 'dough' et 'rough' riment?

— Et la prononciation française est terrible pour un Anglais, dit John. **Pourquoi** o, au, eau, ô, et oh? Est-ce que ce n'est pas aussi difficile?

— Oui, **peut-être.** Est-ce que tu as un examen en octobre, John?

— Non, en mai. Qu'est-ce que nous allons faire **pendant** les vacances? Tu as des projets?

— Oui, nous faisons des projets pour un beau voyage. Est-ce que tu aimes camper?

— Oui, tu as une tente?

— Oui, nous avons une belle tente blanche. Nous allons visiter le sud et le centre de la France et peut-être Paris. Nous allons voyager par le train pour les longues distances, et à bicyclette dans les régions pittoresques.

—Bonne idée! C'est un projet magnifique...

Madame Bourjois entre.

— Qu'est-ce que vous faites? dit-elle. Le déjeuner est servi dans la salle à manger.

Bon appétit!

Vocabulary:

il pleut	it is raining	pourquoi	why
parce que	because	peut-être	perhaps
pour	for	pendant	during, while
toujours	always		
qu'est-ce qui?	what? (subject)		
qu'est-ce que?	what? (object)		

GRAMMAR NOTES FOR TEXT 4

13. Negatives. Having learned how to say—I am, I have, I go, I prepare, etc. we now come to the **negative:** I am **not, I** have **not,** I am **not** going, I do **not** prepare. In French, the negative is in two parts: NE before, and PAS after the verb.

je **ne** suis **pas**	I am *not*
tu **n'**es **pas**	you are *not*
il **n'**est **pas**	he is *not*
nous **ne** sommes **pas**	we are *not*
vous **n'**êtes **pas**	you are *not*
ils **ne** sont **pas**	they are *not*

Note: The 'e' of 'ne' is always dropped before a word beginning with a vowel and sometimes before the letter 'h'.

14. Interrogatives. A question can be asked in two ways in French:

(*a*) by changing the position of the verb and the pronoun as in English: you have... have you?

(*b*) by putting 'est-ce que' (sometimes the equivalent of 'do') in front of the subject and its verb.

Examples:

As-tu des projets? Est-ce que tu as des projets?	Have you any plans?
Etes-vous fatigué? Est-ce que vous êtes fatigué?	Are you tired?

Note: When a question is asked in which a **noun** (not a pronoun) is the subject, the pronoun is added to form the question when 'est-ce que' is not used.

Examples:

Est-ce que John étudie le français? John, étudie-t-**il** le français?	Does John study French?
Est-ce que M. Bourjois va au garage? M. Bourjois, va-t-**il** au garage?	Is Mr. Bourjois going to the garage?

(The extra 't' is inserted to prevent two vowels coming together.)

15. Irregular Adjectives (see 5). Some of the most commonly used adjectives have special forms.

Masculine singular	*Feminine singular*	*Masculine plural*	*Feminine plural*	*English*
beau	belle	beaux	belles	beautiful
bon	bonne	bons	bonnes	good
blanc	blanche	blancs	blanches	white
long	longue	longs	longues	long

16. Position of Adjectives. Most adjectives come *AFTER* their nouns (unlike the English) but *certain ones come* **BEFORE** them, such as: bon (good) beau (beautiful) grand (big, tall) jeune (young) joli (pretty) long (long) petit (small) and vieux (old). Adjectives of *Colour* and *Nationality always* come **AFTER**.

Note: Adjectives of Nationality always have a small letter except when they are used as **NOUNS:**

Un ami anglais — an English friend
le livre français — the French book

BUT Un Anglais — an Englishman Une Française — a Frenchwoman.

17. Irregular verbs

DIRE—to say		**FAIRE**—to make *or* to do	
je dis	I say	je fais	I make, do
tu dis	you say	tu fais	you make, does
il dit	he says	il fait	he makes, do
nous disons	we say	nous faisons	we make, do
vous dites	you say	vous faites	you make, do
ils disent	they say	ils font	they make, do

EXERCISES FOR TEXT 4

1. Répondez aux questions: Richard et John, où sont-ils aujourd'hui? Où est Anne? Pourquoi n'est-elle pas à la maison? Comment est le salon? Pourquoi Richard ferme-t-il la fenêtre? Qu'est-ce qu'il y a sur la table? Est-ce que la prononciation française est difficile? Est-ce que John et Richard aiment les examens? Que vont-ils faire pendant les vacances? Comment vont-ils voyager?

2. All these statements are incorrect. Put them in the **negative.**

La Tour Eiffel est à Londres. Il pleut à Nice. Les roses sont bleues. Je suis français. Le français est une langue difficile. Nous sommes à Strasbourg. Les garçons aiment les examens. John va à Paris. La mère prépare le repas. C'est difficile.

3. Complete the following with the adjectives in their **correct form** and **position.**

Example: Un **bon** livre **français.**

(1) bon, français	(*a*)	la famille
	(*b*)	l'examen
	(*c*)	les livres
(2) beau, blanc	(*a*)	la tente
	(*b*)	les chambres
	(*c*)	les chiens
(3) long, bleu	(*a*)	la rivière
	(*b*)	le train
	(*c*)	les autos

4. Complete with the correct part of DIRE or FAIRE.

Dire. Monsieur Bourjois... 'Bonjour'. (2) John et Richard... 'Bon appétit!' (3) Nous... 'C'est un plan magnifique'. (4) Vous... 'Bonne idée!' (5) Il... 'J'étudie l'italien'.

Faire. (1) Richard... des projets. (2) Qu'est-ce que nous...? (3) Ils... des excursions. (4) Vous... des repas. (5) John et Richard... un voyage à bicyclette.

5. **Put a suitable adjective** from list B with a noun from list A and one from list D with a noun from list C, remembering the importance of the correct **position** (before or after the noun) as well as the **agreement.**

List A	*List B*	*List C*	*List D*
le livre	petit	la maison	principale
le village	grand	les fleurs	grande
les jardins	bleu	la bicyclette	jolie
les trains	bon	la fenêtre	blanche
le café	rapide	les rues	belle

TEXT 5

LA VILLE DE STRASBOURG

Richard et son ami John veulent passer vendredi, samedi et dimanche à Strasbourg avec Anne et Jacques. Ils veulent aller au théâtre vendredi soir, et au bal samedi soir.

Ils vont à Strasbourg par le train. A midi, ils **rencontrent** Jacques et sa soeur à la cantine de l'université.

— Je suis libre **maintenant,** dit Anne. Je suis en vacances. Je suis **très** contente.

— Veux-tu accompagner John cet après-midi? Nous voulons visiter la cathédrale et le vieux quartier de Strasbourg. Tu peux expliquer à John l'architecture de la vieille ville et de la cathédrale.

— Avec plaisir, dit Anne.

— Vous pouvez aussi visiter mon laboratoire, **si** vous voulez, dit Jacques.

— Oh, non, Jacques, dit Anne. Il y a des rats! C'est horrible! Je n'aime pas ces bêtes.

— Merci **beaucoup,** dit John, mais je préfère refuser ton invitation. (John est toujours le champion d'Anne!)

— Nous pouvons passer au théâtre pour **acheter** nos billets pour ce soir, dit Richard. Tu es libre, Jacques? Peux-tu aussi aller au théâtre?

— Oui, certainement. Vous pouvez aussi acheter un billet pour mon amie Madeleine. Nous voulons cinq billets.

La cathédrale est en **pierre** rose. Sur les murs et le porche il y a des statues; elles représentent l'Ancien et le Nouveau Testament.

Richard, Anne, et leur ami examinent la cathédrale; **puis** ils vont lentement à la vieille ville. Les rues sont animées. Les autos ne peuvent pas aller vite parce que les autobus et les **camions** augmentent l'intensité de la circulation. Dans la vieille ville, les rues ne sont pas larges. Une grande auto ne peut pas passer. Les vieilles maisons sont blanches et noires.

John veut inviter ses amis dans un café célèbre. Ils sont contents parce qu'ils ont faim et ils **ont soif.**

Vocabulary:

maintenant	now
très	very
si	if (before a verb)
	so (before an adverb or adjective)
beaucoup	very much, many
puis	then
avoir soif	to be thirsty (like avoir faim—to be hungry)
rencontrer	to meet
acheter	to buy
un camion	a lorry
une pierre	a stone

GRAMMAR NOTES FOR TEXT 5

18. Possessive Adjectives. These are the adjectives which show ownership and, like all other adjectives, agree with the nouns that **follow** them.

Masculine Singular	*Feminine Singular*	*Masc. and Fem. Plural*	*English*
mon	ma	mes	my
ton	ta	tes	your (thy)
son	sa	ses	his
son	sa	ses	her
notre	notre	nos	our
votre	votre	vos	your
leur	leur	leurs	their

Examples:

mon billet—*my* ticket:	**nos** billets—*our* tickets
Jacques et **sa** socur	James and *his* sister
Anne et **son** frère	Anne and *her* brother
John veut inviter **ses** amis	John wishes to invite *his* friends

Note: When a **feminine** noun begins with a vowel or sometimes 'h', the **masculine** form of the possessive adjective is used to avoid bringing two vowels together.

Examples:

mon amie Madeleine (not **ma** amie), **ton** invitation (not **ta**)

19. Demonstrative Adjectives

Masculine singular	*Feminine singular*	*Plural Masc. and Fem.*	*English*
ce	cette		this, that,
cet (before a vowel or 'h')		ces	these, those

Examples:

ce garçon—*this* or *that* boy. **cet** homme—*this*, *that* man
cette fille—*this*, *that* girl. **ces** bêtes—*these*, *those* beasts.

20. Irregular Adjectives (continued from 15)

Masculine singular	*Feminine singular*	*Masculine plural*	*Feminine plural*	*English*
vieux, vieil	vieille	vieux	vieilles	old
nouveau / nouvel	nouvelle	nouveaux	nouvelles	new

Note: les nouvelles—the news (compare English)

21. Irregular verbs

VOULOIR—to wish or want		**POUVOIR**—to be able or can	
je veux	I wish, I want etc.	je peux	I am able to I can, etc.
tu veux		tu peux	
il veut		il peut	
nous voulons		nous pouvons	
vous voulez		vous pouvez	
ils veulent		ils peuvent	

22. Note to 12. When speaking of days and times the word **on** is omitted in French:

Examples:

vendredi soir — **on** Friday evening
lundi matin — **on** Monday morning

23. Towns and Countries. Note the translation of the word **to** before (*a*) towns and (*b*) countries.

Aller **à** Paris, **à** Londres, **à** Manchester, etc.
BUT aller **en** France, **en** Angleterre, **en** Alsace, etc.

EXERCISES FOR TEXT 5

1. Répondez aux questions: Qui veut aller à Strasbourg? Comment vont-ils à Strasbourg? Combien de (how many) personnes veulent aller au théâtre? Qu'y a-t-il dans les rues de la ville? Comment sont les rues? Comment est la ville? Comment sont les vieilles maisons? Aimez-vous le théâtre? Aimez-vous les vieilles villes? Aimez-vous les villes modernes?

2. In the following put the correct form of:

(*a*) VOULOIR
Je ... aller au théâtre
nous ... acheter des billets
ils ... visiter Strasbourg
vous ... voir la cathédrale
elle ... entrer dans un café

(*b*) POUVOIR
Il ... visiter le laboratoire
nous ne ... pas passer
je ne ... pas voir les rats
tu ... aller au théâtre

3. Remplacez le, la, ou les par un adjectif possessif: (1) J'ai **le** livre. (2) Richard veut **le** billet. (3) Madame Bourjois est **la** mère. (4) **La** maison est bleue. (5) Ils aiment **les** enfants. (6) Anne aime **les** parents. (7) J'ai fini **les** examens. (8) John et **les** amis ont soif. (9) Où est **la** bicyclette? (10) Bonjour, Madame, j'admire **le** jardin.

4. Complete with ce, cet, cette, ces as required.

(1) ... livre est sur ... table.
(2) ... jeunes filles préparent ... sandwichs.
(3) Je n'aime pas ... homme.
(4) ... jeune homme visite ... ville ... après-midi.
(5) ... auto est belle.

5. Put the correct form of either vieux or nouveau in the following:

(1) la ... maison
(2) le ... An
(3) les ... enfants
(4) le ... homme
(5) la ... ville
(6) les ... étudiants
(7) le ... livre
(8) la ... auto
(9) les ... fleurs
(10) les bonnes ... dans le journal

6. Traduisez en anglais:

Dans la vieille ville, il y a des maisons blanches et noires. Je visite le vieux quartier aujourd'hui. L'autobus va lentement dans les petites rues. Je n'aime pas aller en auto parce que les rues ne sont pas larges. A midi, j'ai faim et je vais au restaurant. Je veux aller au théâtre samedi soir.

TEXT 6

UN WEEK-END À STRASBOURG

Aujourd'hui, samedi, les trois amis vont dans le quartier des magasins. Ils veulent acheter un beau **cadeau** pour Monsieur Bourjois parce que c'est **bientôt** son anniversaire. Il a cinquante-cinq ans, Jacques a vingt-quatre ans, Richard a vingt et un ans, et Anne a dix-neuf ans. John a l'âge de Richard. Ils ne vont pas en autobus parce qu'ils veulent regarder tous les magasins.

— Qu'est-ce que nous allons acheter pour Papa? demande Richard. Des cigarettes? Une pipe? Des **mouchoirs**?

— C'est difficile de choisir un cadeau pour un homme, dit Anne. Nous choisissons toujours facilement un cadeau pour Maman.

— Je vais acheter une belle bouteille de liqueur pour votre père, dit John. Il aime la Chartreuse.

— Bonne idée, John. Toute la famille va profiter de ton cadeau!

— Richard, tu es horrible, dit sa soeur. Nous pouvons acheter un beau stylo. J'ai **assez d**'argent. Nous pouvons aller dans ce magasin.

Ils entrent dans le magasin.

— Que désirez-vous, Mademoiselle? demande une dame très aimable.

— Nous désirons un stylo, s'il vous plaît, Madame.

— Quelle sorte de stylo, et quel prix voulez-vous payer? dit la dame.

Elle montre toutes sortes de stylos magnifiques. Ils sont tous beaux. Anne et Richard hésitent entre un stylo noir et un stylo gris. Ils choisissent le stylo noir.

— Que faisons-nous maintenant? demande Richard.

— Je veux aussi acheter des bonbons pour votre mère, dit John.

— Je veux acheter une paire de sandales, dit Anne.

Elle choisit des sandales blanches.

Les deux garçons vont dans un café. Ils choisissent une table libre sur la terrasse. Il y a beaucoup de passants sur le trottoir et beaucoup d'autos dans les rues. L'agent de police est **tout le temps** occupé à régler la circulation. Il n'est pas très patient et insulte un chauffeur lent et embarrassé. Tous les passants regardent avec amusement.

Anne arrive.

— Oh, j'ai soif!

— Que voulez-vous boire? demande John.

— Une orangeade, s'il vous plaît.

John commande une orangeade pour Anne. Puis ils retournent lentement **vers** le restaurant où ils vont manger avec Jacques.

Vocabulary:	bientôt	soon
	assez (de)	enough (of)
	tout le temps	all the time
	vers	towards.
	un cadeau	a present
	un mouchoir	a handkerchief

GRAMMAR NOTES FOR TEXT 6

24. You have learned the verb endings of the 1st conjugation of verbs (those ending in -er). Now we come to the 2nd 'family' of verbs (those ending in -ir). We shall take as example:

CHOISIR—to choose. (Root: CHOIS)

je chois**is** I choose, am choosing, do choose
tu chois**is**
il chois**it**
nous chois**issons**
vous chois**issez**
ils chois**issent**

Other verbs in this 'family' are **FINIR**—to finish, **OBEIR**—to obey, **REMPLIR**—to fill.

25. Age. 'How old are you?' is translated into French by saying: 'What age have you?'—'Quel âge avez-vous?' always using the verb 'to have' instead of the verb 'to be' as in English. Thus: 'I **am** fifteen' becomes 'I *have* fifteen years'—**j'ai** 15 ans. *Note:* the word for 'years' must **always** be expressed.

Examples:

Jacques **a** vingt-quatre **ans**	James *is* twenty-four
Anne **a** dix-neuf **ans**	Anne *is* nineteen

26. Adjectives, QUEL and TOUT

Masculine singular	*Feminine singular*	*Masculine plural*	*Feminine plural*	*English*
quel	quelle	quels	quelles	what, which?
tout	toute	**tous**	toutes	all

27. Use of DE (see 6). DE is used instead of DU, DE LA, and DES:

(1) after certain words indicating **quantity** such as: **beaucoup** (much, many), **combien** (how much, how many?), **assez** (enough), **trop** (too much, too many).

Examples:

beaucoup **de** passants	many passers-by
assez **d'**argent	enough money

(2) after **verbs in the negative**

Examples:

il y a **des** autos dans les rues
BUT il **n'**y a **pas** DE camions dans les rues

(3) **before a plural adjective** when it comes **in front of a noun.**

Examples:

des fleurs **magnifiques**	(after noun)
de belles fleurs	(before noun)
des yeux **bleus**	(after)
de jolis yeux	(before)

28. Numbers 11 to 60

11 onze	20 vingt
12 douze	21 vingt **et** un
13 treize	22 vingt-deux etc.
14 quatorze	30 trente
15 quinze	31 trente **et** un
16 seize	32 trente-deux
17 dix-sept	40 quarante
18 dix-huit	50 cinquante
19 dix-neuf	60 soixante

EXERCISES FOR TEXT 6

1. **Répondez aux questions:** Qui a bientôt son anniversaire? Quel âge a Monsieur Bourjois? Madame Bourjois? Les enfants? Quel âge avez-vous? (vous n'êtes pas obligé de dire la vérité!) Qu'est-ce que John choisit pour Monsieur Bourjois? Qu'est-ce que Richard et Anne choisissent? Aimez-vous le bon vin? Aimez-vous les bonnes liqueurs? Nommez (name) des vins français et des liqueurs françaises.

2. **Put de, d', or des** into the following:

(1) Anne a ... beaux yeux
(2) John a ... cheveux blonds
(3) Il y a ... stylos noirs dans le magasin
(4) Il y a beaucoup ... passants dans les rues
(5) Il n'y a pas ... autos sur le trottoir
(6) Madame Bourjois a ... belles fleurs dans son jardin
(7) Il n'y a pas trop ... agents dans les rues
(8) Les deux garçons ont ... livres français
(9) Il y a assez ... tables sur la terrasse
(10) Anne a ... sandales blanches

3. **Complete with the correct form** of either finir, choisir, remplir:

(1) Je ... mes examens
(2) Nous ... nos stylos d'encre
(3) Vous ... un beau cadeau
(4) Ils ... leur repas et puis ils vont au théâtre
(5) Elle ... le panier de fruits

4. **Revision.** Put the correct form of the verb in brackets.

(1) Nous (vouloir) des sandwichs parce que nous (aller) en excursion
(2) Vous (préparer) le pique-nique et je (aller) au garage
(3) Je (pouvoir) acheter de l'essence
(4) Les enfants (être) contents: ils (aimer) l'excursion
(5) Je (faire) du café pour mes parents et notre ami anglais (faire) du thé
(6) (Avoir)-vous des fruits dans le panier?

5. Arithmetic. Do the following sums, writing out the numbers in full: (moins—less, i.e. take away)

21 et 25 font?
15 et 30 font?
28 moins 13 font?
45 moins 31 font?
14 et 15 font?
48 moins 41 font?
59 moins 14 font?
36 et 8 font?
51 ct 7 font?
66 moins 44 font?

6. Make up sentences using 'il y a' and the given words:

(1) il y a, livre, table
(2) il y a, tramways, rue
(3) il y a, enfants, maison
(4) il y a, cathédrale, Strasbourg
(5) il y a, bon vin, Alsace.

TEXT 7

UN PEU DE GÉOGRAPHIE

Si vous voulez aller en vacances en France, vous préférez sans doute choisir le sud de la France où le soleil brille toujours. En Alsace, le climat est variable; il fait mauvais et il fait beau **tour à tour.** L'Alsace, **cependant,** est une très belle et très riche région de France. Il y a des forêts sur les montagnes et des rivières dans toutes les vallées. Les touristes viennent visiter les villages pittoresques et les vieux châteaux où l'écho répète les cris des enfants. Ils viennent **surtout** aux mois de mai, de juin, et de juillet.

Nous commençons notre visite à ce joli pays. Sur les flancs des montagnes exposés au soleil, la vigne prospère et donne le bon vin blanc d'Alsace. La route mène aux villages alsaciens, où en automne les paysans préparent le vin. Ils **prennent soin** de **bien** préparer la vigne pendant les mois de mars et d'avril. En septembre et en octobre, ils font la vendange et ils jettent les raisins dans le pressoir. Ils appellent leurs vins **ou** des vins doux **ou** des vins secs.

Nous prenons maintenant la grande route et nous venons dans la plaine. Nous mangeons des truites dans un restaurant au bord du Rhin. La plaine d'Alsace est entre les Vosges et le Rhin. Le Rhin est un fleuve très important. C'est la frontière entre la France et l'Allemagne. Il traverse **ensuite** l'Allemagne et la Hollande. Il prend sa source dans les Alpes suisses. Son courant devient très rapide et les bateaux vont rapidement. Il est utilisé pour le transport de toutes sortes de marchandises.

La plaine est très fertile. Le **blé** et toutes les céréales ont beaucoup d'importance. Le tabac est cultivé dans la plaine. En août et en septembre les grandes feuilles sont coupées et suspendues dans les hangars pour sécher. A Strasbourg, il y a une manufacture de tabacs et de cigarettes; elle est contrôlée par l'État.

La bière d'Alsace aussi est célèbre. Si vous venez en Alsace, vous pouvez être sûr de bien manger et de bien boire. Quand vous voyagez en France, vous apprenez vite le français et vous comprenez bientôt la langue du pays.

Vocabulary:

tour à tour	in turns
cependant	nevertheless
surtout	especially, above all
bien	well (sometimes, very)
ensuite	then, afterwards, next
prendre soin (de)	to take care (to)
ou ... ou	either ... or
le blé	corn

GRAMMAR NOTES FOR TEXT 7

29. Weather. 'What kind of weather is it?'—'Quel temps fait-il?' There are two ways of indicating the weather: by using:

(*a*) **a special verb,** such as **il pleut**—it is raining, **il neige**—it is snowing, **il gèle**—it is freezing.

(*b*) **the verb 'faire'** with an adjective or noun after it:

Examples:

il fait mauvais	it is (makes) wet—adjective
il fait froid	it is (makes) cold—adjective
il fait beau	it is (makes) fine—adjective
il fait du vent	it is windy—noun
il fait du soleil	it is sunny—noun

30. The months.

Note: Always use a small, never a capital letter.

janvier	January	juillet	July
février	February	août	August
mars	March	septembre	September
avril	April	octobre	October
mai	May	novembre	November
juin	June	décembre	December

31. The Seasons.

(en) été	(in) summer
(en) automne	(in) autumn
(en) hiver	(in) winter
BUT (**AU**) printemps	(in) spring

32. Irregular Adjectives (see 15, 20, 26)

Masculine singular	*Feminine singular*	*Masculine plural*	*Feminine plural*	*English*
doux	douce	doux	douces	sweet
sec	sèche	secs	sèches	dry

33. Irregular verbs

PRENDRE—to take		**VENIR**—to come	
je prends	I take, am taking	je viens	I come, am coming
tu prends		tu viens	
il prend		il vient	
nous prenons		nous venons	
vous prenez		vous venez	
ils prennent		ils viennent	

Similarly:

comprendre	to understand	devenir	to become
apprendre	to learn	tenir	to hold

34. Some irregularities of -ER verbs in the Present Tense.

Certain verbs ending in **'e ... er'** and **'é ... er'** with only **one** consonant between the 'e, é ... er' are slightly irregular in the 1st, 2nd and 3rd person singular and 3rd person plural of the present tense. These verbs either (*a*) **take a grave accent** (') on the last e of the root of the verb or (*b*) **double the last consonant** of the root.

Examples of (*a*) in such verbs as: préf**érer**, rép**éter**, prosp**érer**, and: **mener**, ach**eter**, **lever.**

je préf**ère**	*BUT*	nous préf**érons**
tu prosp**ères**		vous prosp**érez**
il r**épète**		vous **répétez**
j'ach**ète**		nous ach**etons**
ils m**ènent**		vous m**enez**
elles l**èvent**		nous **levons**

Examples of (*b*) in such verbs as: jeter, appeler.

je **jette**	*BUT*	nous **jetons**
ils appe**llent**		vous appe**lez**

A THIRD IRREGULARITY occurs with verbs ending in **-ger** and **-cer** when the G and C must be softened before the vowels A, O and U by adding an extra E or **ç** respectively.

Examples: nous mangeons   nous commençons

EXERCISES FOR TEXT 7

1. **Répondez aux questions:** Aimez-vous les vacances? Allez-vous en vacances en France? Où fait-il toujours beau? Est-ce qu'il fait froid en été? Est-ce qu'il pleut souvent en Angleterre? Nommez la frontière entre la France et l'Allemagne. Aimez-vous voyager en bateau? Qu'est-ce que vous pouvez boire en Alsace? Aimez-vous l'hiver? Préférez-vous le printemps?

2. **Complete with the correct form** of (*a*) **prendre** and (*b*) **venir:**

(*a*) (1) Nous ne ... pas de bière. (2) Si vous ... la grande route, vous arrivez bientôt. (3) Je ... un bateau pour traverser le Rhin. (4) Les paysans ... soin de bien préparer la vigne. (5) Le Rhin ... sa source en Suisse.

(*b*) (1) Nous ... à Strasbourg. (2) Richard et John ... au théâtre. (3) Est-ce que tu ... camper en Alsace? (4) Vous ... de la frontière. (5) Je ne ... pas par la route principale.

3. **Substitute the correct French** for the English in brackets:

(1) Au mois de (February) il (freezes)
(2) „ „ „ (March) il (is windy)
(3) „ „ „ (June) il (is sunny)
(4) „ „ „ (January) il (snows)
(5) „ „ „ (August) il (is fine)

4. **Put a suitable noun** wherever a word is missing:

La ... Bourjois habite un petit ... Ils ont une ... bleue dans la ... principale. Devant la maison il y a un ... où Madame Bourjois cultive des ... Le repas est servi dans la ... John et Richard lisent (read) des ... au ... Sur la ... il y a un ... de fleurs.

5. Revision. With each of the following nouns put the correct form of the adjective in brackets. Remember also to put it in the correct *position*.

(1) (petit)	les garçons	les rivières	la table
(2) (bon)	la bière	l'enfant	les fruits
(3) (vieux)	l'homme	les hommes	les maisons
(4) (noir)	les cheveux	le stylo	la forêt
(5) (tout)	les filles	la plaine	les céréales

TEXT 8

DOCTEUR, C'EST UNE URGENCE ...

Il fait nuit. Tout est tranquille. Dans le jardin la brise agite légèrement les arbres. Les fleurs parfument l'air. Tout le village est paisible.

Soudain, dans la maison des Bourjois, le téléphone sonne. Le docteur se réveille immédiatement et prend le récepteur. Le téléphone est placé sur une petite table **à coté de** son lit.

— Allô, ici le docteur Bourjois.

— Allô, allô, Docteur, venez vite s'il vous plaît. Ma petite fille a mal au **côté.** C'est peut-être l'appendicite.

— Calmez-vous. Je viens. Qui êtes-vous?

— Oh, pardon, Docteur. Nous sommes la famille Marchal dans une ferme isolée.

— Oui, je comprends, Monsieur Marchal. Je viens immédiatement.

Le docteur pose le récepteur et fait la grimace. Une appendicite dans une ferme isolée ... il ne peut pas **encore** demander une ambulance ... c'est peut-être seulement une indigestion. Il réveille Jacques qui est à la maison. Ils se lèvent et s'habillent rapidement.

Ils prennent la route qui monte à la ferme. C'est une route **étroite** et mauvaise, **presque** impossible. Ils arrivent **enfin.**

— Oh, Docteur, c'est gentil à vous de venir si vite.

— Où est Marie? Allons voir la petite malade.

— Ici, venez, s'il vous plaît. Regarde, Marie, le bon docteur est ici.

Ils entrent dans la chambre à coucher. Marie, une petite fille de huit ans, est sur le lit. A côté du lit la mère pleure. Elle tient la main de la fillette. Le docteur et son fils examinent la malade. Il n'y a pas de doute ... c'est une appendicite. Une opération est nécessaire **avant** le jour.

— Monsieur, est-ce que vous avez le téléphone ici?

— Oui, Docteur.

— Je vais téléphoner à l'hôpital de la ville : ils peuvent **ainsi** appeler le chirurgien et se préparer pour l'opération.

Nous allons **amener** votre fille à l'hôpital dans notre auto. Nous ne nous arrêtons pas en route et l'hôpital n'est pas **loin.**

La fermière lave le visage de la fillette qui pleure. Jacques aide Marie à entrer dans l'auto. La fermière pleure aussi. Le bon docteur rassure la mère et l'enfant.

Vocabulary:

soudain	suddenly
à côté de	beside
au côté	in (her) side
encore	yet (also again, still)
presque	almost
enfin	at last, finally
ainsi	thus, in this way
loin	far
avant	before (when it is a matter of **time**)
(compare) devant	before (meaning in front of, a **place**)
amener	to take (a person)
étroit	narrow

GRAMMAR NOTES FOR TEXT 8

35. Reflexive Verbs. These are verbs which sometimes have two pronouns, **object** pronouns (me, te, se, nous, vous, se) in addition to the **subject** pronouns (je, tu, il, nous, vous, ils). These object pronouns agree with the subject; they may be translated as 'myself, himself, ourselves' etc. though often they are not expressed at all in English, whereas they must be in French.

Important note: When there is already a direct object in the sentence, these verbs are not used reflexively:

Je **me** lave—I wash (myself)

but Je lave **la vaisselle**—I wash the *crockery* (direct object)

Object Pronouns are usually placed before the verb.

je **me** lave	I wash *myself*
tu **te** laves	you wash *yourself*
il **se** lave	he washes *himself*
nous **nous** lavons	we wash *ourselves* etc.
vous **vous** lavez	
ils **se** lavent	

Negative je **ne** me lave **pas.** nous **ne** nous lavons **pas.**

36. Imperatives. When we wish to give an order, we say: 'Shut the door', 'let us go for a walk', 'go to the station'. We do not say '**You** shut the door', '**we** go for a walk'. We miss out the subject pronoun and the French do the same.

Examples:

Venez vite	*Come* quickly
Allons voir la malade	*Let us go* and see the patient
Regarde, Marie, voici le docteur	*See,* Mary, here is the doctor

Note: When using the 2nd person singular of -er verbs the final **'S'** *of the verb ending is dropped: Tu* donne**S** *BUT* **donne**—give.

37. 'qui' and 'que' as (*a*) Interrogative pronouns
(*b*) Relative pronouns

Examples:

(*a*) Qui?—who? whom? **Qui** êtes-vous?
Que?—what? **Que** faites-vous?

(*b*) Qui—who, which, that (subject)
Que—whom, which, that (object)

Jacques **qui** est à la maison	James *who* is at home ...
La route **qui** monte à la ferme	the road *which* leads up to the farm
Le livre **que** vous préférez	the book *which* you prefer
l'ami **que** vous rencontrez	the friend *whom* you meet

38. Use of the word 'si'.

In front of a verb **'si'** means *if*

In front of an adjective or adverb **'si'** means *so*

Examples:

Si vous voulez aller	*if* you wish to go
Vous êtes bon de venir **si** vite	you are good to come *so* quickly
Le ciel est **si** bleu	the sky is *so* blue

EXERCISES FOR TEXT 8

1. Répondez aux questions: Où est le docteur? Où est le téléphone? Qui téléphone? Où habite la famille Marchal? Qui accompagne le docteur? Est-ce que la route de la ferme est bonne? Qui est malade? Quel âge a Marie? Qui pleure? Qui amène Marie à l'hôpital?

2. Insert either 'qui' or 'que' in the following:

(1) Prenez la lettre ... est sur la table.
(2) L'orange ... je mange est bonne.
(3) Le fermier ... est le père de Marie calme le chien.
(4) C'est Monsieur Bourjois ... est le docteur.
(5) La fermière ... il rassure, est la mère de Marie.
(6) La route ... est étroite va à la ferme.
(7) Le chirurgien ... le docteur appelle est à l'hôpital.
(8) Le chien ... le fermier calme s'appelle Hector.
(9) ... est à la porte? C'est Jacques.
(10) ... allons-nous faire maintenant?

3. (*a*) **Insert the correct pronouns** in the following:

(1) Je ... lève à huit heures.
(2) Ils ... lavent ce matin.
(3) Nous ... couchons à dix heures.
(4) Elles ... réveillent à sept heures.
(5) Tu ... habilles à la hâte.

(*b*) Repeat this exercise, putting the verbs in the *negative*.

4. Using imperatives, turn the following into commands:

(1) Vous allez voir Monsieur Bourjois.
(2) Tu ne pleures pas, Marie.
(3) Nous allons danser ce soir.
(4) Tu fermes la fenêtre.
(5) Vous mangez beaucoup d'oranges.

5. Traduisez en anglais: Je me lève à sept heures et je me lave. Est-ce que vous vous réveillez aussi à sept heures? Non, je ne me lève pas de bonne heure (early). Nous ne nous couchons pas de bonne heure. Elle ne veut pas aller à l'hôpital. Nous prenons le train et nous allons à Paris. Vous venez aussi? Non, merci, je ne peux pas parce que je n'ai pas assez d'argent.

TEXT 9

ANNE VA FAIRE LES COMMISSIONS

C'est aujourd'hui mardi. Après le petit déjeuner, les deux garçons partent à bicyclette et le docteur va travailler. Anne travaille au jardin et Madame Bourjois lave la vaisselle dans la cuisine.

— Anne, appelle Madame Bourjois, veux-tu aller faire des commissions pour moi, s'il te plaît?

— Avec plaisir, maman. Qu'est-ce que j'achète?

— **Voilà** la liste.

Anne prend un panier et sort. Presque tous les magasins sont dans la grande rue du village et sur la place du marché. Anne va **d'abord chez** l'épicier. Elle ouvre la porte et entre.

— Bonjour, Mademoiselle Anne. Que désirez-vous? dit l'épicier.

— Beaucoup de choses! Deux kilos de sucre, une livre de sel, une livre de café, un paquet de thé, un litre d'huile, un demi-litre de vinaigre, une livre de beurre, une douzaine d'oeufs, du savon et du fromage—un camembert—et une demi-livre de gruyère, s'il vous plaît. C'est tout!

L'épicier prépare les provisions; il couvre le savon d'un journal.

— Voilà, Mademoiselle ... le sucre, le sel, le café, le thé, l'huile, le vinaigre, le beurre, les oeufs, le savon et le fromage.

— **Ça fait combien?**

L'épicier fait rapidement l'addition.

— 19,50 francs, Mademoiselle.

Anne donne deux billets de dix francs à l'épicier. Il donne une pièce de cinquante centimes à la jeune fille.

Le panier est lourd, mais Maman veut aussi du pain pour le déjeuner. Anne va chez le boulanger. Le boulanger fait le pain et la boulangère sert les clients au magasin.

— Que désirez-vous? dit la boulangère.

— Une flûte, et un pain d'un kilo, s'il vous plaît.

— Ça fait 90 centimes, s'il vous plaît.

Anne donne une pièce d'un franc. La boulangère **rend** la

monnaie, une pièce de dix centimes, à la jeune fille. Anne adore l'odeur du pain frais. Le pain français est délicieux. Les Français mangent beaucoup de pain avec tous les repas.

Anne achète aussi des bonbons qu'elle offre ensuite à sa mère.

Vocabulary:

d'abord	first, at first
chez	at, to, the house of
ça fait combien?	how much is that?
voilà	there is, there are
rend	gives

Note: You have already learned that 'il y a'=there is, are. The difference between 'il y a' and 'voilà' is that **il y a** is used as the answer to the question '*is there? are there?*' **voilà** is used as the answer to the question '*where is? where are?*' **Voilà** always points something out. (*Voici* is used like voilà).

Examples:

Est-ce qu'il y a un chien dans le jardin? (Is there?)

Oui, **il y a** un chien avec les enfants dans le jardin. (Yes, *there is* a dog with the children ...).

Où est le chien? (Where is the dog?)

Voilà le chien près de la porte. (*There is* the dog, near the door.)

GRAMMAR NOTES FOR TEXT 9

39. 2nd conjugation verbs (continued from 24). We have already learned the endings of verbs like 'choisir'. Now we come to two groups of -ir verbs which have different endings.

GROUP A.

SORTIR—to go out		**DORMIR**—to sleep	
je sors	I go out	je dors	I sleep,
tu sors	I am going out	tu dors	I am sleeping
il sort		il dort	
nous sortons		nous dormons	
vous sortez		vous dormez	
ils sortent		ils dorment	

PARTIR—to leave, depart

je pars	I leave, am	nous partons
tu pars	leaving	vous partez
il part		ils partent

40. GROUP **B.**

OUVRIR—to open. Also **COUVRIR** (to cover), **SOUFFRIR** (to suffer), **OFFRIR** (to offer).

j'ouvre	I open, am	nous ouvrons
tu ouvres	opening	vous ouvrez
il ouvre		ils ouvrent

41. Use of the word 'chez'

chez sa mère	at (or to) his mother's (house)
chez l'épicier	at (or to) the grocer's (house)
chez le docteur	at (or to) thc doctor's (house)

42. Numbers (continued from 28)

60	soixante	100	cent
61	soixante et un	101	cent un
70	soixante-dix	200	deux cents
71	soixante et onze	201	deux cent un
72	soixante-douze	1000	mille
80	quatre-vingts	2000	deux mille (never milles)
81	quatre-vingt-un		
82	quatre-vingt-deux		1960 may be written:
90	quatre-vingt-dix		mil neuf cent soixante *OR*
91	quatre-vingt-onze		dix-neuf cent soixante
			(In dates mille becomes MIL)

une douzaine	a dozen
une vingtaine	a score

43. Meanings. Some words have two or three meanings: **une pièce**—a coin, a room, a play.

Some words change their meaning when they change their gender: **un** livre—a book, **une** livre—a pound (£ or lb.).

Note:

une demi-livre	half a pound
un demi-litre	half a litre
une demi-douzaine	half a dozen

EXERCISES FOR TEXT 9

1. **Répondez aux questions:** Que mangez-vous le matin? Que fait le docteur? Que font Madame Bourjois et Anne? Où va Anne? Où sont les magasins? Qu'est-ce que vous achetez chez l'épicier? Aimez-vous le fromage français? Qu'est-ce que vous achetez chez le boulanger? Qui fait le pain? Qui sert le pain? Est-ce que les Français mangent beaucoup de pain?

2. **Complete with the correct form** of the verb in brackets:

(1)	(partir)	Nous ... à six heures. Le train ... à midi
(2)	(sortir)	Je ... du théâtre Ils ... l'auto du garage
(3)	(ouvrir)	Tu ... la porte Vous n' ... pas les fenêtres
(4)	(dormir)	Le village ... paisiblement Les chats ... près du feu
(5)	(offrir)	J' ... des bonbons à l'étudiant Nous ... des cadeaux au docteur Bourjois

3. **Dialogue.** L'ÉPICIER: Bonjour, Madame/Monsieur Que désirez-vous?

LE CLIENT / LA CLIENTE } Bonjour, Monsieur

	une livre		sucre
	une demi-livre		thé
	un kilo		sel
Je veux acheter:	une bouteille	de	beurre
	un demi-litre		oeufs
	un paquet		fromage
	une douzaine		huile
			café
			savon
			pain

4. Revision (see 34). **Make up sentences** from these groups of words:

(1) acheter ... pain ... boulanger
(2) garçons ... appeler ... mère
(3) jeter ... balle ... chien
(4) le docteur ... amener ... l'hôpital
(5) routes ... mener ... ferme

5. Complete the following using a suitable noun:

(1) Je vais chez ...
(2) Il va chez ... qui a des oeufs frais.
(3) Nous allons chez ... acheter du pain
(4) Vous allez chez ... parce que vous êtes malade
(5) Elle va chez ... acheter du beurre

TEXT 10

AU MARCHÉ

C'est aujourd'hui samedi. C'est le jour du marché. La petite ville est très animée. **Depuis** sept heures du matin, les paysans et les marchands arrivent sur la place et montrent leurs marchandises. Les paysans apportent des oeufs frais, du beurre frais et les fromages de la région qui sont aussi bons que les camemberts. Les fruitiers apportent des fruits et des légumes qu'ils mettent sur des planches.

Anne et John vont faire les commissions pour Madame Bourjois. Ils vont d'abord chez le boucher qui vend de la viande et des saucisses.

— Bonjour, Mademoiselle Anne, dit le boucher. Que désirez-vous?

— Bonjour, Monsieur. Je désire un kilo de porc à rôtir, six biftecks et une douzaine de saucisses, s'il vous plaît.

Le boucher coupe et **pèse** la viande et les saucisses. Il y a un grand choix de saucisses dans les boucheries françaises.

— Ça fait 23,30 francs, dit le boucher.

La viande est moins chère en Angleterre qu'en France. Anne paye; elle donne 23,50 francs au boucher qui rend 20 centimes à la jeune fille. Puis les deux amis vont acheter les légumes et les fruits au marché.

Le marché est très animé. Les marchands crient pour attirer les clients:

— Par ici, ma belle petite dame, approchez. Nous avons les pêches les plus fraîches du marché. Regardez ces poires magnifiques, ce superbe melon ...

Anne rit et passe. Les fruits sont beaux, mais ils sont chers. Anne va chez la vieille paysanne qui vend toujours des fruits plus frais que les fruits des autres marchands. La vieille femme aime beaucoup Anne et choisit toujours les plus gros fruits et les plus beaux légumes pour la jeune fille. Elle regarde John d'un air curieux.

— Voilà John. L'ami anglais de Richard, Madame Thomas, dit Anne. John **serre la main à** la paysanne qui est très contente ... un Anglais est un **être** extraordinaire dans ce village!

Anne achète des pommes de terre, des carottes, et des petits pois. Elle achète aussi des fruits—des pommes, des poires, des pêches, et des prunes, qu'elle met dans son panier.

Le panier est très lourd maintenant. John porte le panier et ils retournent à la maison.

Vocabulary:

depuis	since
serrer la main à	to shake (somebody's) hand
peser	to weigh
un être	a being

GRAMMAR NOTES FOR TEXT 10

44. 3rd conjugation verbs. These are the last of the verb 'families'. They are the verbs ending in -re, such as vendre, rendre, etc.

ATTENDRE—to wait for *or* to expect

j'attends	I wait for, I expect, am expecting
tu attends	
il attend	
nous attendons	
vous attendez	
ils attendent	

Note:

j'attends de bonnes nouvelles	I am expecting good news
j'attends mon mari	I am waiting for my husband

45. Three more irregular verbs: (compare 'dire', see 17)

RIRE—to laugh	**LIRE**—to read	**METTRE**—to put
je ris I laugh	je lis I read	je mets I put
tu ris	tu lis	tu mets
il rit	il lit	il met
nous rions	nous lisons	nous mettons
vous riez	vous lisez	vous mettez
ils rient	ils lisent	ils mettent

46. Comparatives and Superlatives.

(*a*) **Comparison of Adjectives** rendered in English by adding

D

-er to the adjective (big, bigg**ER**—nice, nic**ER**) *OR* by using more . . . than (the cat is **more** playful **than** the dog) is always expressed in French by:

PLUS ... QUE	more . . . than
MOINS ... QUE	less . . . than
AUSSI ... QUE	as . . . as

Examples:

John est **plus** âgé **qu'**Anne	John is *older* (more old) than Anne
Anne est **moins** âgée **que** John	Anne is *younger* (less old) than John
Les fromages sont **aussi** bons **que** les camemberts	the cheeses are *as* good *as* camembert

(*b*) **Superlatives.** These are formed by putting 'the' (using correct gender) before 'plus'.

Examples:

les plus beaux fruits	the most beautiful fruit
les pêches **les plus fraîches**	the freshest peaches

Note: the normal position of the adjective must always be retained. If it comes before the noun, then it must do so in the superlative: if it comes after, then the sentence must be turned so that it still does so.

Examples:

	la plus jolie fille	les plus belles villes
BUT	le vin le plus sec	la viande la plus chère.

Note: Superlatives are followed by **DE** (*not dans*) *meaning* '*in*'.

le fruit le plus frais **du** marché	the freshest fruit *in* the market
la plus jolie fille **de** la ville	the prettiest girl *in* the town

47. Two more irregular adjectives.

Masculine singular	*Feminine singular*	*Masculine plural*	*Feminine plural*	*English*
frais	fraîche	frais	fraîches	fresh
cher	chère	chers	chères	dear, expensive

EXERCISES FOR TEXT 10

1. Répondez aux questions: Est-ce que samedi est un jour spécial? Où les paysans vont-ils? Qu'est-ce qu'ils viennent vendre? Qui vend les fruits et les légumes? Qui vend la viande? Qui va au marché? Est-ce que les fruits sont chers? Est-ce que le panier est lourd? Qui porte le panier? Nommez des fruits et des légumes.

2. Using plus ... que, moins ... que, aussi ... que, as required complete the following:

(1) John est ... grand ... Anne. (2) L'hiver est ... chaud ... l'été. (3) La rose est ... belle ... la tulipe. (4) Une livre de sel est ... lourde ... une livre de sucre. (5) Jacques et Richard sont ... âgés ... Anne.

3. Using the superlative of the adjective in brackets, complete the following:

(1) Elle choisit ... (beau) légumes
(2) John est ... (grand) des garçons
(3) Il achète la viande ... (cher)
(4) C'est la rue ... (animé) de la ville
(5) La paysanne montre les pêches ... (frais)

4. (*a*) **Complete with the correct form** of one of the verbs in brackets:

(attendre) (descendre) (rendre)
Vous ... l'escalier. Je ... la monnaie
Nous ... nos amis. Ils ... la montagne
J' ... de bonnes nouvelles

(lire) (rire) (mettre)
(*b*) Nous ... des livres français
Richard et John ... quand ils ... une
histoire comique. Vous ... une robe bleue
Nous ... quand il fait la grimace
Qu'est-ce qu'ils ... sur les planches?

5. **Select a suitable adjective** for each of the following nouns, putting it in the correct *form* and *position*:

beau	doux	les oeufs	la mère
blanc	nouveau	l'homme	le pain
cher	noir	le vin	les fruits
bon	sec	l'an	les chevaux
frais	vieux	la fleur	les prunes

6. **Répondez:** Chez qui achetez-vous : des saucisses; du vinaigre; des légumes; des oeufs; du fromage; du pain; des prunes; des biftecks; des petits pois; des gâteaux?

TEXT 11

LA MAISON DES BOURJOIS

La maison des Bourjois est grande et belle. Elle est en pierre grise avec un toit rouge. Elle est située dans la grande rue du village et elle n'est pas très loin du centre où il y a tous les magasins. Elle est entourée d'un grand jardin.

Venez avec nous visiter la maison. Un petit escalier mène à la porte d'entrée. On entre dans un vestibule où un tapis gris couvre le plancher. **A droite,** il y a quelques plantes vertes sur une petite table, et une armoire pour ranger les manteaux et les chapeaux. Une porte **cachée** dans le mur ouvre sur un petit escalier qui descend **en bas** à la cave où on met le charbon.

Il y a deux portes **à gauche;** l'une mène dans le cabinet de travail du docteur Bourjois, l'autre dans l'appartement des Bourjois. Le docteur se lève généralement à sept heures du matin, prend son petit déjeuner vers huit heures moins le quart, et va dans son cabinet vers huit heures et demie. Madame Bourjois fait son ménage, puis, vers onze heures et quart, elle va à la cuisine et prépare quelque chose à manger pour le déjeuner. Les murs de la cuisine sont bleus et blancs.

Le salon est une belle pièce, grande et claire, avec un tapis beige et des rideaux de velours verts. Dans la salle à manger la table, les chaises et le buffet sont en bois sombre. Quelques tableaux pendent aux murs.

Retournons maintenant dans le vestibule et montons l'escalier qui mène au premier étage. **En haut,** nous trouvons les chambres à coucher et la salle de bain. On se lave et se rase dans la salle de bain. Dans la chambre à coucher des parents il y a un lit et deux armoires. Un tapis jaune couvre le plancher. Sur la coiffeuse de Madame Bourjois il y a une brosse et un peigne en argent, du rouge à lèvres, de la poudre et une bouteille d'eau de Cologne. **Tout en haut** de la maison il y a le grenier.

On dort dans une chambre à coucher; on mange dans une salle à manger et on se repose dans les fauteuils du salon.

Vocabulary:

à droite	on the right
à gauche	on the left
en bas	below
en haut	above
tout en haut	right at the top
caché	hidden

GRAMMAR NOTES FOR TEXT 11

48. Use of 'on'. In English we often use the expression: 'they say' meaning 'people say', 'someone says', or 'it is said'. The French use 'on' (one) when the identity of the person(s) doing the action is not clearly defined. They also avoid constructions similar to: 'the window **is shut**', 'the book **is read** to the children' or 'peaches **are eaten** in summer' by turning them into: **one shuts** the window—**on ferme** la fenêtre, **one reads** the book to the children—**on lit** le livre aux enfants, and **one eats** peaches in summer—**on mange** des pêches en été.

Examples in this text:

on entre dans un vestibule	*you* (anyone) go into a hall
la cave où **on met** le charbon	the cellar where the coal *is kept*
on se lave et **se rase** dans la salle de bain	*people* wash and shave in the bathroom

49. Time. To ask the time you say: 'Quelle heure est-il?' meaning (literally) 'What hour is it?' and the reply will always begin 'il est ... (heures)—it is . . . (o'clock).

Note: the word 'heure(s)' is **never** omitted.

When the time is so many minutes **past** the hour, the minutes are added as in a railway time-table:

Ten past nine (9-10)—il est neuf heures dix
Twenty past eleven (11-20)—il est onze heures vingt

Except when it is quarter or half past the hour when the word 'and' must be added:

il est trois heures **et** quart (3-15).
il est cinq heures **et** demie (5-30).

When the time is so many minutes **to** the hour the word, 'moins' (less) is used.

Twenty-five to eight	il est huit heures **moins** vingt-cinq
Five to six	il est six heures **moins** cinq

Note: 'quarter to' is always moins **le** quart.

50. Special plurals. Nouns and adjectives which end in 'eau' in the singular, add x instead of s to form the plural:

le manteau—les manteau**x**	le chapeau—les chapeau**x**
le tableau—les tableau**x**	le rideau—les rideau**x**

Similarly adjectives: nouveau—nouveau**x** and beau—beau**x**

Revision: Nouns ending in -al change to -aux in the plural:

le cheval—les chev**aux**	le journal—les journ**aux**

51. Use of 'en' when describing materials of which things are made.

la maison est **en** pierre grise	the house is (built) of grey stone
les chaises ... sont **en** bois sombre	the chairs are of dark wood
une brosse et un peigne **en** argent	a silver brush and comb

52. Use of 'quelque(s)'—some, or several. 'Some' is often translated by 'des' but when 'some' means 'a certain number' it is translated by 'quelque' which must agree with the noun.

quelques plantes vertes	*a few* green plants
quelques tableaux pendent aux murs	*some* pictures hang on the walls
Avez-vous **quelque** chose à manger?	Have you *some*thing to eat?

EXERCISES FOR TEXT 11

1. Répondez aux questions: A quelle heure vous levez-vous le matin? A quelle heure mangez-vous votre petit déjeuner? Votre déjeuner? Votre souper? A quelle heure vous couchez-vous? Où dort-on? Où mange-t-on? Quels meubles met-on dans la salle à manger? Que fait-on dans la salle de bain? Quelles chambres y a-t-il au premier étage?

2. Using 'on' instead of the subject pronouns, make any necessary changes in the following verbs:

(1) Nous nous lavons à sept heures
(2) Tout le monde dort pendant la nuit
(3) Ils disent 'Bonjour' à leurs amis
(4) La fenêtre est fermée
(5) Nous mangeons dans la salle à manger

3. Put into French: Half past one. Quarter to five. 8.10. 7.25. Twenty to eleven. 5.50. Five to nine. Quarter past eight. Half past ten. One o'clock.

4. Put the following into the plural:

(1) Le rideau est gris
(2) Le cheval noir mange la pomme rouge
(3) Le chapeau jaune est sur la chaise blanche
(4) Il met le manteau bleu dans l'armoire grise
(5) Le journal est noir et blanc
(6) J'aime ce bel animal
(7) L'eau du fleuve est bleue
(8) Tu tires le rideau de la fenêtre
(9) Je porte mon nouveau chapeau
(10) Elle admire le cheval sur ce tableau

5. Décrivez les pièces de votre maison.

Le salon: la couleur des murs, du tapis, des rideaux, les tableaux pendus aux murs.
combien de fauteuils, de tables, de chaises?

La salle à manger: comment est le bois des chaises, de la table, du buffet, etc.?
la salle a combien de mètres de long et de large?

La chambre à coucher.

La cuisine.

TEXT 12

UNE LETTRE DE JOHN À SES PARENTS

Mes chers parents, ma chère Suzanne,

J'ai trouvé votre lettre ce matin après ma promenade à bicyclette. Merci beaucoup pour toutes vos nouvelles. J'espère que tu as fini tes examens, ma chère Suzanne, et que tu as **réussi.** Est-ce que tu as dit 'Adieu' aux élèves de ta classe et à ton école?

Ici nous nous amusons **bien.** Je pense que j'ai **déjà** fait beaucoup de progrès en français; je parle presque sans hésitation. Mes amis sont si gentils. L'autre jour, à Strasbourg, nous avons acheté des cadeaux pour Monsieur Bourjois. J'ai choisi une bouteille de Chartreuse; Anne et Richard ont acheté un stylo. J'ai donné une boîte de chocolats à Madame Bourjois. Nous avons visité la vieille ville et la cathédrale. J'aime beaucoup toute cette région de France.

Hier, j'ai eu une aventure extraordinaire; j'ai perdu mon portefeuille. J'ai cherché dans toute la maison, en vain. **Tout à coup,** on a sonné à la porte : un agent de police a apporté mon **portefeuille** qu'un homme a trouvé à la banque. Naturellement, j'ai dit **mille fois merci** à l'agent et j'ai envoyé une lettre à cet honnête homme.

Nous avons fait une excursion dans les montagnes. Nous avons pique-niqué au sommet des Vosges. J'ai beaucoup aimé cette excursion. Les Bourjois ont tout fait et ils continuent à tout faire pour rendre mon séjour agréable.

Chère maman, peux-tu envoyer mon imperméable, s'il te plaît? Nous avons décidé de faire un grand voyage à bicyclette. Je pense que nous allons partir le douze ou le treize juillet parce que nous voulons être à Paris le quatorze juillet. C'est la fête nationale.

Avez-vous eu des nouvelles de grand-mère depuis sa maladie? J'espère qu'elle va bien maintenant et que grand-père n'est pas trop fatigué.

J'attends le facteur tous les jours avec impatience et j'embrasse toute la famille ... je n'oublie pas le chien!

Votre fils et frère,

John.

Vocabulary:

bien	well, a great deal, very much
déjà	already
tout à coup	suddenly
hier	yesterday
mille fois merci	a thousand thanks
réussir	to succeed
un portefeuille	a wallet

GRAMMAR NOTES FOR TEXT 12

53. **Tenses.** Up to now we have used only the **Present** tense of all verbs. Now we come to the most frequently used of the **Past** tenses—the PERFECT (or Passé Composé in French). It is composed of two verbs (*a*) the **Auxiliary** verb and (*b*) the **Past Participle** of the main verb.

It is exactly the same construction as in English.

Auxiliary verb	*Past participle*	*Auxiliary verb*	*Past participle*
j'ai	mangé	I have	eaten
tu as	mangé	you have	eaten
il a	mangé	he has	eaten
elle a	mangé	she has	eaten
nous avons	mangé	we have	eaten
vous avez	mangé	you have	eaten
ils ont	mangé	they have	eaten
elles ont	mangé	they have	eaten

54. **Negative and Interrogative** of the Perfect tense.

je n'ai pas mangé	est-ce que j'ai mangé?
tu n'as pas ,,	as-tu ,,
il n'a pas ,,	a-t-il ,,
nous n'avons pas mangé	a-t-elle ,,
vous n'avez pas ,,	avons-nous ,,
ils n'ont pas ,,	avez-vous ,,
elles n'ont pas ,,	ont-ils, elles ,,

55. Formation of the Past Participle. Each family of verbs forms its Past Participle according to a different rule:

(*a*) Verbs ending in -ER (infinitive) change **ER** to **é**
(*b*) „ „ „ -IR „ „ **IR** to **i**
(*c*) „ „ „ -RE „ „ **RE** to **u**

Examples:

all**er**—all**é**	regard**er**—regard**é**
fin**ir**—fin**i**	chois**ir**—chois**i**
vend**re**—vend**u**	entend**re**—entend**u**

Irregular verbs often have irregular Past Participles:

avoir — eu	vouloir — voulu
être — été	pouvoir — pu
faire — fait	prendre — pris
dire — dit	mettre — mis

56. Use of 'que' after certain verbs, such as:

espérer—to hope, penser—to think, croire—to believe

In English we say: I hope you have finished your exams.

In French you **must** say: I hope **that** you have finished them. J'espère **que** tu as fini tes examens.

Similarly:

Je pense **que** nous allons partir ...
j'espère **qu**'elle va bien
il pense **qu**'il a fait beaucoup de progrès

EXERCISES FOR TEXT 12

1. Répondez aux questions: A qui John écrit-il? Qui a quitté l'école? Qui a visité la grande ville? Qui a eu une aventure? Qu'est-ce que John a perdu? Où a-t-on trouvé son portefeuille? Est-ce qu'il aime être chez les Bourjois? Où veut-il aller avec ses amis? Quand veulent-ils partir? Pourquoi? Nommez les différents membres d'une famille. A quelle date est la fête nationale de la France?

2. Put the following verbs into the Perfect Tense.

(1) Le garçon aime le chat
(2) Je mange la poire
(3) Vous dites 'au revoir'

(4) Il fait ses devoirs
(5) Tu vends des légumes
(6) Nous finissons le dîner
(7) Vous êtes fatigués
(8) Ils font un pique-nique
(9) Nous entendons la musique
(10) Elles regardent l'Arc de Triomphe
(11) Je veux voyager en France
(12) On dit 'Bon appétit'
(13) Elle peut voir la plaine
(14) Nous avons 3 chevaux
(15) On met un chapeau pour sortir
(16) Vous voulez monter au sommet
(17) Je choisis un stylo
(18) Elles sont prêtes à partir
(19) Tu as les cartes
(20) Ils font des saucisses.

3. **Repeat this exercise** in the (*a*) negative and (*b*) interrogative.

4. **Give the Past participles** of the following verbs:

fermer	manger	finir	attendre	obéir	vendre
partir	mettre	aimer	entendre	dire	choisir
vouloir	faire	avoir	regarder	aller	prendre
pouvoir	être				

5. **Mettez les verbes suivants au passé composé** et faites des phrases avec les mots suivants:

passer	bonnes	vacances
donner	cadeau	père
avoir	lettre	de Richard
faire	devoirs	hier soir
manger	repas	dimanche dernier

6. **Traduisez en anglais:** Le facteur a apporté votre lettre ce matin. Il a trouvé l'enveloppe sur la petite table du vestibule. J'ai donné les timbres à un petit garçon qui habite près d'ici. J'ai des nouvelles de ma grand-mère. J'espère qu'elle a aussi envoyé une carte à Suzanne.

TEXT 13

PRÉPARATIFS; MERCREDI, LE DOUZE JUILLET ...

Depuis lundi matin la maison est en fièvre, mais ce soir c'est un pandémonium.

— Est-ce que tu as la carte du sud de la France, John? demande Richard.

— Non, où est-elle?

— Je crois qu'elle est là, sur la table, crie Jacques. Ah, la voilà! Je la mets dans mon sac à dos.

— Où est le sac d'Anne?

— Je ne le vois pas. Où est Anne?

— Je ne la trouve pas, mais son sac est dans la cuisine **contre** le mur.

— Pourquoi? Ma soeur est idiote!

— Mais non, **au contraire.** Elle est très intelligente. Elle s'occupe des fourchettes, des cuillers, des couteaux, des tasses, des assiettes, de tout le matériel de camping. Elle les met dans son sac.

— Et la tente? Je la prends?

— Non, John. Je te défends de la prendre, tu n'es pas notre âne. Je la prends. Je n'ai pas **tellement** de choses sur ma bicyclette. Ajoute seulement ces cartes et l'appareil de photographie à tes bagages.

— Ce n'est pas juste. Je n'ai pas **autant de** bagages que vous deux.

Madame Bourjois ouvre la porte et jette un regard dans la chambre.

— Je vous vois déjà sur la route, leur dit-elle. Vous allez ressembler à une caravane de chameaux.

Tout le monde rit.

—Ah, voilà Anne! Est-ce que tu as pu mettre toutes les tasses et les assiettes etc. dans ton sac?

— Oui, les voici, mais je ne peux pas le fermer.

— Pouvez-vous le tenir, Anne et John? demande Richard.

— **Ça va,** je le tiens, lui dit John.

Richard tire sur les cordes et ferme le sac.

— Voyons, c'est très facile! Maintenant, nous avons fini.

Les quatre amis ont décidé de partir **demain** jeudi pour un voyage **à travers** la France. Jacques a fini ses examens. Richard a acheté des cartes à la librairie. Toute la famille a passé le dimanche à faire des plans : Paris, le quatorze juillet, puis le Massif Central, Lyon, les Alpes et enfin le sud (le midi) et le soleil. Croyez-vous qu'ils vont faire un beau voyage?

Ce soir Monsieur et Madame Bourjois vont au cinéma pour avoir la paix!

Vocabulary:

contre	against
au contraire	on the contrary
tellement	so many, so much
autant de	so much
ça va	that's all right, O.K.
demain	to-morrow
à travers	across

GRAMMAR NOTES FOR TEXT 13

57. Pronouns. We have already met subject pronouns (je, tu, il, elle, nous, vous, ils, elles) and reflexive pronouns (me, te, se, nous, vous, se). Now we have two more, very important kinds:

Direct Object Pronouns		**Indirect Object Pronouns**	
me	me	me	*TO* me
te	you	te	*TO* you
le	him (it)	lui	*TO* him (it)
la	her (it)	lui	*TO* her (it)
nous	us	nous	*TO* us
vous	you	vous	*TO* you
les	them	leur	*TO* them

Position of Direct and Indirect Object Pronouns.

Unlike the English, these pronouns are nearly always placed IN FRONT OF THE VERB.

Thus: I like you becomes **I you** like—**je vous** aime.
You speak to him—**you to him** speak—**vous lui** parlez.

Note: When using the Perfect tense, the pronouns come in front of the Auxiliary verb as well as the past participle:

Je **l'ai** fait	I have done it
Nous **leur avons** donné des livres	we have given some books to them

In the *negative*, the 'ne' always comes immediately after the subject pronoun (before the Object Pronoun) and the 'pas' immediately after the Auxiliary verb:

Je **ne** l'ai **pas** fait	I have *not* done it
Nous **ne** leur avons **pas** donné de livres	we have *not* given them any books

Voici and voilà count as verbs and the pronouns therefore follow the same rule and go in front of them:

Examples:

Où est la carte? Ah, **la voilà,** sur la table.
Est-ce que les tasses sont dans le sac? Oui, **les voici.**

58. Irregular verbs.

VOIR—to see		**CROIRE**—to believe	
je vois	I see	je crois	I believe
tu vois		tu crois	
il voit		il croit	
nous voyons		nous croyons	
vous voyez		vous croyez	
ils voient		ils croient	

Past Participles: VU and CRU.

EXERCISES FOR TEXT 13

1. Répondez aux questions: Où Jacques met-il la carte? Où est Anne? Où met-elle son sac? Où veulent-ils aller ensuite? Où vont Monsieur et Madame Bourjois? Pourquoi? Aimez-vous le soleil? Où trouvez-vous plus de soleil qu'en Angleterre? Voulez-vous aller en France cette année? Comment voulez-vous voyager?

2. Find the object pronouns corresponding to the nouns in brackets and write the sentences with the pronouns in the correct position.

(1) (l'orange; les pêches) Je ... mange
(2) (la fleur; les livres) Il ... choisit
(3) (le cheval; les fruits) Vous ... aimez
(4) (à son fils; à ses amis) Elle ... parle
(5) (à notre tante; à vos soeurs) Nous ... donnons des cadeaux

3. Put the given pronouns in the correct position:

(1) (vous) Je donne le livre. Nous rencontrons dans la rue
(2) (me) Il ne dit pas 'Bonjour'
(me) Apportez-vous du vin?
(3) (nous) Est-ce qu'elle montre la chambre?
(nous) On ne raconte pas l'histoire
(4) (te) Ne donne-t-il pas les gants? Elle ne plaît pas
(5) (lui) Vous ne voulez pas parler
(lui) Nous allons dire 'Au revoir'

4. Replace the words in italics by pronouns:

(1) Madame Bourjois ferme *la fenêtre*
(2) Anne range *la vaisselle* dans le buffet
(3) Monsieur Bourjois range *son manteau* dans l'armoire
(4) Les fruitiers vendent *les légumes*
(5) Les amies veulent *les billets*
(6) Le boucher pèse *la viande*
(7) La boulangère donne le pain *aux clients*
(8) Les enfants achètent *le stylo*
(9) Jacques parle *à son frère*
(10) Anne donne des tasses *à ses amis*

5. Put the correct form of 'croire' or 'voir' in the following:

(1) Nous ... qu'il est malade
(2) ... -vous le docteur dans l'auto?
(3) Je ... que la carte est là
(4) Ils ne ... pas leurs amis dans la rue
(5) Nous ... une caravane de chameaux

6. Using a pronoun with either voici or voilà, answer the questions:

(1) Où est Richard? ... ... dans le jardin
(2) Avez-vous vu Anne et John? Oui... ...
(3) Où avez-vous mis mes gants? ... ... sur la table
(4) Où ai-je laissé mon assiette? ... ... sous la chaise
(5) Où est la carte? ... ... dans le buffet

TEXT 14

AU CINÉMA

Monsieur et Madame Bourjois ont décidé d'aller au cinéma. Monsieur Bourjois est allé chercher l'auto au garage et a acheté de l'essence puis il est allé se préparer. Madame Bourjois est aussi allée dans sa chambre pour s'habiller. Elle a mis sa robe verte et un léger manteau beige; elle a des chaussures blanches aux pieds et un chapeau neuf sur la tête.

Monsieur Bourjois a pris le bras de sa femme pour la conduire à l'auto.

— Tu es jolie comme ça, lui a-t-il dit. Tu es fraîche comme une rose.

Madame Bourjois lui a souri et lui a répondu:

— Je ne suis pas sortie **depuis longtemps** et j'ai voulu te faire honneur.

— Tu es bien gentille.

Au cinéma Monsieur Bourjois est allé prendre les billets.

— Dépêchez-vous, Docteur, lui a dit une jeune fille. J'entends déjà la musique. Ne **manquez** pas les **actualités.** Le film est très bon.

— Oui, nous nous dépêchons, je vous remercie, lui a répondu le docteur.

C'est un très vieux film de Charlie Chaplin ('Charlot' comme on dit en France). 'Les Lumières de la ville.'

Une autre jeune fille est venue à la porte et a conduit Monsieur et Madame Bourjois à leurs places dans la salle déjà sombre au moment où les actualités ont commencé. Monsieur Bourjois lui a donné un pourboire. C'est l'habitude en France dans toutes les salles de cinéma, de théâtre, ou de concert.

Un documentaire a suivi les actualités—Fontaines de Rome—un joli film en couleurs accompagné d'une belle musique.

Il y a eu ensuite un entr'acte très court. Monsieur Bourjois et sa femme sont restés dans la salle et la jeune fille leur a vendu des chocolats. Le film principal est très triste et très drôle. Le public a ri et a pleuré tour à tour. Monsieur et Madame Bourjois l'ont déjà vu l'année dernière, et c'est un film qu'ils ont beaucoup aimé. Ils sont sortis du cinéma et ils sont rentrés à la maison. Les enfants sont déjà montés dans leurs chambres et bientôt leurs parents sont aussi allés se coucher.

Vocabulary:

depuis longtemps	for a long time (in this particular text)
manquer	to miss
les actualités	the news

GRAMMAR NOTES FOR TEXT 14

59. Perfect Tense (continued). We have learned how to form the Perfect tense using 'avoir' as the Auxiliary verb. There are, however, certain verbs which always use **ETRE** instead of avoir as the AUXILIARY. This does not affect the meaning in English:

je **suis** allé means I *have* (not *am*) gone

Here are eleven of the most common verbs taking ETRE:

aller	to go	venir	to come
arriver	to arrive	partir	to leave, depart
descendre	to come down	monter	to go up
entrer	to come in	sortir	to go out
rester	to stay, remain	tomber	to fall
retourner	to return		

Auxiliary verb	*Past participle*	*Auxiliary verb*	*Past participle*
je suis	venu(e)	I have (not am)	come
tu es	venu(e)	you have	,,
il est	venu	he has (not is)	,,
elle est	venue	she has	,,
nous sommes	venu(e)s	we have (not are)	,,
vous êtes	venu(e)s	you have	,,
ils sont	venus	they have	,,
elles sont	venues	they have (fem.)	,,

IMPORTANT NOTE. The **Past Participles** of verbs using ETRE (except reflexive verbs) **agree with the** SUBJECT (noun or pronoun).

Examples:

elle est all**é**e ('e' to show the subject 'elle' is feminine)
ils sont parti**s** (masculine plural)
elles sont arriv**ées** (feminine plural)

60. Irregular Past Participles. See also 55 (continued)

		Past participle
rire	to laugh	**ri**
sourire	to smile	**souri**
lire	to read	**lu**
conduire	to lead, drive	**conduit**

61. More irregular adjectives (see 15, 20, 26, 32, 47).

	Masculine singular	*Feminine singular*	*Masculine plural*	*Feminine plural*	*English*
	léger	légère	légers	légères	light
	gentil	gentille	gentils	gentilles	nice, kind
Com-	—neuf	neuve	neufs	neuves	new (recent)
pare	—nouveau nouvel	nouvelle	nouveaux	nouvelles	new (fresh)

62. Parts of the body. Possessive adjectives are not generally used with parts of the body; instead the definite or indefinite articles (le, la, les, or un, une, des) are used.

Examples:

j'ai **les** yeux fermés	*my* eyes are shut
il s'est frappé **la** tête contre le mur	he has knocked *his* head against the wall

'In' and 'on' parts of the body is translated by à:

Mme. Bourjois a des chaussures **aux** pieds et un sac **à la** main	Mrs. Bourjois has shoes *on* her feet and a bag *in* her hand

Note: when 'on' means literally 'on top of' it is translated by 'sur': Elle a un chapeau **sur** la tête—*on* her head.

Note the expressions:

j'ai mal aux dents	I have tooth-ache
j'ai mal à la tête	I have a head-ache

EXERCISES FOR TEXT 14

1. Répondez aux questions: Où vont Monsieur et Madame Bourjois? Qui a acheté de l'essence? Où l'a-t-il achetée? Comment Madame Bourjois s'habille-t-elle? Quel programme voit-on au cinéma? Comment s'appelle le célèbre acteur comique? Qu'est-ce qu'on donne aux jeunes filles du cinéma en France? Allez-vous souvent au cinéma? Préférez-vous le théâtre au cinéma? Aimez-vous la musique?

2. Make two lists, one of the *verbs taking 'avoir'* and the other of *those taking 'être' in the Perfect Tense.* Give the 1st person plural of each.

voir; venir; partir; tenir; tomber; prendre; rester; vouloir; arriver; rencontrer; regarder; aller; aimer; désirer; descendre; vendre; lire; entrer; monter; sortir; conduire.

3. Insert the correct form of the Past Participles in brackets:

(1) Le docteur est (venu) me voir
la fille est (venu) me voir
les élèves sont (venu) me voir

(2) L'enfant est (tombé) par terre
les soldats sont (tombé) par terre
les bicyclettes sont (tombé) par terre

(3) Le train est (arrivé) de bonne heure
les taxis sont (arrivé) de bonne heure
les amies sont (arrivé) de bonne heure

(4) Le chien est (entré) dans la maison
Madame Bourjois est (entré) dans la maison
les rats sont (entré) dans la maison

(5) l'homme est (allé) à la gare
les paysans sont (allé) à la gare
les marchands sont (allé) à la gare

4. Using the Perfect Tense, make simple sentences of the following group of words:

(1) Madame Bourjois, mettre, souliers

(2) Monsieur Bourjois, conduire, auto, maison
(3) Docteur, femme, aller, cinéma
(4) M. Bourjois, acheter, de l'essence, garage
(5) John, serrer, main, paysanne

5. **Complete with the correct form** of the adjectives in brackets:

(1) (léger) le panier est ...
(2) (beau) Regardez ce ... arbre
(3) (gentil) Anne est une ... jeune fille
(4) (vieux) Ce ... homme est malade
(5) (neuf) Nous avons des robes ...
(6) (nouveau) Ces ... maisons sont blanches
(7) (frais) Aimez-vous la crème ...
(8) (sec) La robe que j'ai lavée n'est pas ...
(9) (léger) Ces chaises ne sont pas ...
(10) (nouveau) J'aime tes ... habits

TEXT 15

LE DÉPART: JEUDI, LE TREIZE JUILLET

Jacques, Richard, Anne et John sont partis ce matin. Le réveille-matin a sonné à six heures et demie, et ils se sont levés **tout de suite.** Ils sont partis par le train de huit heures vingt.

Hier après-midi, les garçons ont déjà préparé les bicyclettes; ils les ont nettoyées et huilées. Puis ils sont allés à la gare où ils ont acheté les billets pour Paris. Monsieur Bourjois a eu la bonté de payer le voyage par le train. Les garçons ont enregistré les bicyclettes.

Ce matin, les jeunes gens ont dit au revoir à Madame Bourjois. Elle s'est habillée rapidement et elle est descendue au jardin pour leur souhaiter 'Bon voyage'. Monsieur Bourjois a conduit ses enfants et John à la gare. Il a pris un billet de quai, et ils sont allés **tous ensemble** sur le quai. Le train est arrivé. Ils ont trouvé un compartiment vide **à l'arrière** du train. Les garçons, qui ont mis les bagages dans le filet **au-dessus** de leurs places, ont ouvert la fenêtre pour parler à leur père. **A l'avant** du train, des nuages de fumée et de vapeur ont couvert la locomotive. Le chef de gare a sifflé et le train s'est mis en marche.

— Bon voyage, les enfants. Amusez-vous bien.
— Merci, Papa. Au revoir!
— Au revoir, Monsieur Bourjois, et merci.
— Et voilà, nous sommes partis, a dit Jacques.
— Nous allons faire un beau voyage, lui a répondu Anne.
— Je peux enfin lire la lettre de mes parents, leur a dit John. Je l'ai reçue ce matin, mais je n'ai pas encore eu le temps de la lire.
— Tout le monde va bien chez toi? Tu as de bonnes nouvelles?
— Oui, merci. Mes parents sont allés en vacances à Llandudno. C'est une ville que je n'ai pas encore visitée.
— Llandudno? Au Pays de Galles? Voilà un pays que je n'ai pas encore vu, a dit Richard. L'année prochaine je veux le visiter à bicyclette.

Le contrôleur est venu contrôler les billets. **Plus tard,** les jeunes gens ont compté et partagé leur argent en quatre. A midi, ils ont mangé les sandwichs qu'Anne a préparés.

Vocabulary:

tout de suite	immediately
(tous) ensemble	(all) together
à l'arrière	at the back
à l'avant	at the front
au-dessus	above
au-dessous	beneath
plus tard	later

GRAMMAR NOTES FOR TEXT 15

63. Perfect Tense (continued). **Reflexive verbs** also use ETRE as their Auxiliary verb (like aller, venir, etc.) but in their case the *Past Participle agrees with the Reflexive Pronoun* (**not** the Subject Pronoun) *when the Reflexive pronoun is the* **Direct Object** *of the verb.*

Subject Pronoun	*Reflexive pronoun (direct object)*	*Auxiliary verb*	*Past participle*	
je	me	suis	lavé(e)	I have washed
tu	te (t')	es	lavé(e)	myself etc.
il	se (s')	est	lavé	
elle	se (s')	est	lavée	
nous	nous	sommes	lavé(e)s	
vous	vous	êtes	lavé(e)s	
ils	se (s')	sont	lavés	
elles	se (s')	sont	lavées	

64. Résumé of the **rules of Agreement** of Past Participles.

(*a*) Verbs conjugated with AVOIR—the Past Participle agrees with the **preceding Direct Object** (if any).

(*b*) Verbs conjugated with ETRE (not reflexives)—the Past Participle agrees with the **Subject.**

(*c*) **Reflexive** verbs (always conjugated with ETRE)—the Past Participle agrees with the **Reflexive Pronoun when it is the Direct Object.**

Note: Sometimes the Reflexive Pronoun can be an Indirect Object and then there is **NO** *agreement.*

Examples:

	les garçons ont préparé les **bicyclettes**	*No* agreement because *the Direct Object* 'bicyclettes' *is AFTER* the past participle *préparé.*
(*a*)	ils **les** ont nettoy**ées**	Agreement because 'les' is a *Direct Object coming BEFORE* the past participle *nettoyées.*
	la lettre **que** j'ai reçu**e**	Agreement because '*que*' is a *Relative Direct Object Pronoun coming BEFORE the past participle.*
(*b*)	nous sommes parti**s** à dix heures	Agreement with *SUBJECT* because *verb is conjugated with ETRE.*
(*c*)	elle s'est couch**ée** à dix heures	Agreement with *Reflexive Pronoun* because it is the *Direct Object.*
but	elles se sont parlé	*no* agreement because *Reflexive* (se) here *is Indirect Object.*

they have spoken **to** themselves (each other)

elle s'est lavé les mains	*no* agreement—she has washed her hands (lit. to herself the hands).

65. More irregular Past Participles (see 55 and 60).

		Past participle
ouvrir	to open	**ouvert**
couvrir	to cover	**couvert**
offrir	to offer	**offert**
souffrir	to suffer	**souffert**
courir	to run	**couru**
recevoir	to receive	**reçu**

EXERCISES FOR TEXT 15

1. Répondez aux questions: A quelle heure le train est-il parti? Comment les garçons ont-ils préparé leurs bicyclettes? Quand ont-ils acheté les billets? Est-ce que M. Bourjois est venu sur le quai? Où sont les parents de John? Voyagez-vous beaucoup? Etes-vous allés au Pays de Galles? Quelles montagnes y a-t-il au Pays de Galles? Est-ce qu'on peut y monter par le train? Préférez-vous la montagne ou le bord de la mer?

2. **Complete the following,** remembering that the Perfect Tense always has (*a*) an auxiliary verb and (*b*) a past participle.

(1) Nous nous ... levés de bonne heure.
(2) Richard s'est bien (amuser) au cinéma.
(3) Je me ... lavé ce matin.
(4) Vous vous êtes (habiller) avant de sortir.
(5) Mme. Bourjois s' ... assise près de la fenêtre.
(6) Nous ... sommes baignés dans la rivière.
(7) Les trains se ... arrêtés à la gare.
(8) Vous ne ... êtes pas (lever) à dix heures.
(9) Il s' ... mis en marche.
(10) Les autos ne se sont pas (arrêter) dans la rue.

3. **Make two lists,** one of the *verbs taking 'avoir'* and the other of *those taking 'être' in the Perfect Tense.* Give the 3rd person plural of each.

aller; lire; conduire; rester; se laver; courir; recevoir; tomber; sourire; s'amuser; voir; venir; offrir; partir; s'habiller; descendre; ouvrir; monter; retourner; se baigner; arriver

4. **Using the Perfect Tense,** of the verb in brackets, complete the following:

(1) (lire) Tu ... ... ce livre?
(2) (voir) Nous n' ... pas ... les magasins.
(3) (recevoir) Ils n' ... pas ... leurs billets.
(4) (ouvrir) Vous ... ... les fenêtres.
(5) (offrir) Je n' ... pas ... de chocolats à ma soeur.

5. **Make up a little story** about a departure by train.

se réveiller à	se dépêcher
aller à la gare	mettre, bagages, filet
acheter, billets	train, se mettre en marche

TEXT 16

LE 14 JUILLET ... À PARIS

Le 14 juillet est la fête nationale de la France. Le 14 juillet, 1789, le peuple a pris la Bastille, et c'est cette victoire du peuple qu'on célèbre. John et ses amis ont décidé d'être à Paris pour cette date, parce que Paris est magnifique avec ses décorations et ses illuminations. Les drapeaux qui décorent toutes les maisons sont bleus, blancs et rouges.

Cet après-midi, l'armée française monte l'Avenue des Champs-Elysées. Les soldats, qui portent leurs armes à l'épaule, arrivent à la Place de l'Etoile où il y a l'Arc de Triomphe de Napoléon. **Sous** l'Arc de Triomphe il y a la Tombe du Soldat Inconnu. L'Avenue des Champs-Elysées est magnifique. Les larges trottoirs sont plantés d'arbres et les autos vont et viennent sans cesse dans la rue. Les magasins montrent les nouveaux habits de la dernière mode.

Après la revue de l'armée, beaucoup de gens restent dans les rues. Tous les monuments et toutes les fontaines qu'on voit sont illuminés.

— Que c'est beau ici, n'est-ce pas? dit John. Où sommes-nous?

— Tu vois une des plus belles places du monde, la Place de la Concorde.

—Je veux voir maintenant le Quartier Latin et Notre-Dame, dit John. J'ai tellement envie de voir tout Paris.

— Il faut prendre un autobus ... si on peut! Quelle foule! Les Français sont moins disciplinés que les Anglais — ils ne font pas la queue. Viens. Voilà l'arrêt. Prends un numéro. Le receveur va appeler les gens dans l'ordre de ces numéros. Il n'y a pas **moyen** d'aller contre la foule. Il y a moins de monde dans le métro.

— Ce n'est pas aussi intéressant de voyager par le métro qu'en autobus. Il n'y a pas tellement de monde mais on ne respire pas l'atmosphère de Paris.

— Mais **si,** le métro est très intéressant et surtout très utile, mais pas aujourd'hui.

—**Tiens,** regarde! Voilà Notre-Dame illuminée **là-bas,** n'est-ce pas? Qu'elle est belle!

—A mon avis, elle est plus belle **comme ça,** quand elle est éclairée à l'électricité, que dans la journée.

La Seine reflète les lumières de la cité. Tout est splendide. C'est un vrai jour de fête.

Vocabulary:

sous	underneath
moyen	means
si	yes (see grammar notes)
là-bas	over there
comme (ça)	like (that)
tiens!	hey! I say!

GRAMMAR NOTES FOR TEXT 16

66. Revision of Comparatives and Superlatives (see 46)

COMPARATIVES are formed by using:

plus ... que	more ... than
moins ... que	less ... than
aussi ... que	as ... as

Examples:

Notre-Dame est **plus** belle comme ça ... **que** dans la journée.
Les Français sont **moins** disciplinés **que** les Anglais.
Ce n'est pas **aussi** intéressant de voyager par le métro **qu'**en autobus.

SUPERLATIVES are formed by putting le, la, les before the adjective, remembering always to make article and adjective agree with the noun following.

Note: When 'de' and 'à' come before le, la, les, you must avoid de le, de les, and à le, à les, by using du, des and au, aux.

Une **des** plus belles places du monde
Il parle **au** plus grand garçon de la classe

67. Exclamations. Phrases such as 'How beautiful it is!' and 'What a crowd!' become 'How it is beautiful!' and 'What crowd!' in French. '*How*'—**que** (sometimes **comme**) before a **pronoun.** '*How*'—**quel** (quelle, quels, etc.) before a **noun.**

Examples:

Que c'est beau!	How beautiful it is! (ce—Pronoun)
Qu'elle est jolie!	How pretty she is! (elle—Pronoun)
Quelle foule!	What a crowd! (foule—Noun)
Quel jour de fête!	What a holiday! (jour—Noun)
Quels jolis cadeaux!	What lovely presents! (cadeaux—Noun)

68. Adverbs of Quantity. (See 27.) In addition to beaucoup de, trop de, assez de, etc. we now have **moins de**—less or fewer, **tellement (de)**—so, such, so many.

Examples:

il y a **moins de** monde	there is less crowd
il y a **tellement de** monde	there is such a crowd
j'ai **tellement** envie **de**	I am so anxious to...

69. Use of 'SI' meaning 'yes'. The usual word for 'yes' is 'oui' but (*a*) *when replying to a negative question* (expecting the answer 'No') (*b*) *or making a contradiction the word 'si' is used.*

Examples:

(*a*) Ce n'est pas intéressant de voyager par le métro. Mais **si**, le métro est très intéressant.

(*b*) Vous n'avez pas vu Notre-Dame. Mais **si**, je l'ai vue hier.

70. The expression 'n'est-ce pas?' This expression may be added on to any sentence to form a question. In English, we say 'isn't it?' 'doesn't he?' 'won't you?' etc. as required, but 'n'est-ce pas?' never varies and can be used after any phrase.

Examples:

il fait beau, **n'est-ce pas?**	it is fine, *isn't it?*
vous aimez ça, **n'est-ce pas?**	you like that, *don't you?*
elle chante bien, **n'est-ce pas?**	she sings well, *doesn't she?*

71. Irregular verb FALLOIR—to be necessary.

This is one of a group of verbs called 'Impersonal' because they are only used in the 3rd person singular. (Compare: il pleut, il neige—it is raining, it is snowing.)

Present tense	*Perfect tense*
il faut — it is necessary	il a fallu — it was necessary

Note: **il faut** is always followed by the **infinitive** of the next verb.

il faut prendre un autobus

EXERCISES FOR TEXT 16

1. **Répondez aux questions:** Où est Paris? Où vont les amis? Quand vont-ils à Paris? Pourquoi? Comment vont-ils à Paris? Comment s'appelle la cathédrale de Paris? Nommez quelques rues célèbres et quelques monuments célèbres de Paris. Etes-vous déjà allés à Paris? Quel quartier de Paris préférez-vous? Avez-vous mangé de bons repas à Paris?

2. **Using the adjectives in brackets,** complete the comparatives and superlatives in the following:

(1) (beau) Anne est plus ... que Marie.
Elle est ... plus ... fille de l'école.
(2) (gentil) Ces filles sont plus ... que ces garçons.
Ils sont ... moins ... garçons de la classe.
(3) (blanc) Mon journal est moins ... que ce papier.
Cette maison est ... plus ... de toutes les maisons dans la rue.
(4) (léger) Ma poire est plus ... que votre pêche.
Les manteaux ... plus ... sont dans ce magasin.
(5) (vieux) Ce livre est plus ... que ce tableau.
... plus ... robes sont dans l'armoire.

Note: 'Vieux' cannot be used in comparing the ages of people. 'Agé' must be used instead.

(6) (âgé) John est plus ... que Richard
Anne est moins ... que John
(Superlative) Jacques est ... plus ... des deux

3. **Using 'que' or 'quel'** (quelle etc.) as required, complete the following:

(1) J'ai vu la cathédrale, ... elle est belle!
(2) ... jolis cheveux! Ils sont si longs.
(3) Il a acheté cette rose; ... fleur magnifique!
(4) ... vous êtes gentilles! Je vous remercie mille fois.
(5) Nous sommes enfin arrivés; ... je suis content de rentrer à la maison!

4. Complete the following with a suitable adverb of quantity, chosen from: beaucoup de; assez de; trop de; combien de; peu de; tellement de.

(1) Elle n'a pas (many) livres, mais elle a (enough) journaux.
(2) (How many) soldats y a-t-il? Il y a (too many) garçons et il n'y a pas (enough) hommes.
(3) J'ai très (little) argent et j'ai acheté (too many) drapeaux.
(4) Vous avez (a great deal of) courage. Il y a (such) monde que j'ai peur d'y entrer.

5. Put these words in the right order:

Paris de la France la capitale est
nationale la fête est le 14 juillet
montent les soldats les Champs-Elysées
que vous voyez le monument est l'Arc de Triomphe
prendre pour l'autobus Français les font la queue ne pas

TEXT 17

FEU DE CAMP

Le soir tombe et nos quatre amis ont couvert une grande distance aujourd'hui. Ils ont décidé d'aller visiter les Châteaux de la Loire, et sont allés de Paris à Orléans en un jour.

Maintenant dans la jolie campagne de la Loire, ils cherchent un endroit pour camper. Ils traversent un village et voient une ferme avec une jolie prairie **au bord d'**une rivière. Ils vont frapper à la porte de la ferme.

— Est-ce que vous êtes le propriétaire de cette prairie, Monsieur? demandent-ils au fermier. Est-ce que vous nous permettez d'y camper, s'il vous plaît?

— Oui, j'en suis le propriétaire, leur répond le cultivateur, et je vous donne la permission d'y camper si vous me promettez de faire attention à mes champs.

— Soyez tranquille, Monsieur, nous savons camper; nous avons tous été éclaireurs (scouts).

— Bien, mais faites attention. Il y a des endroits un peu humides.

— N'ayez pas peur. Nous allons monter la tente où le sol est bien ferme.

Ils aperçoivent un joli endroit sec près de la rivière, déchargent leurs bicyclettes, et montent la tente.

— Qui veut retourner au village pour chercher quelques provisions? demande Anne.

— Moi, je veux bien, dit John. Que faut-il?

— Achète du beurre, des oeufs ... attends une minute, je te fais une liste. Qui a un crayon?

— Tiens, j'en ai un, je te le prête.

— Voilà, va vite chez l'épicier et chez le boulanger.

John va faire les commissions. Pendant ce temps, Jacques prépare le feu et Anne l'aide. Richard est parti chercher de l'eau et du bois. Il revient les bras chargés de bâtons.

— Le feu est prêt. As-tu des allumettes, s'il te plaît?

—Mais je n'en ai pas. Où est-ce qu'elles sont? Ah, ... là, tiens.

Jacques lui lance les allumettes, Anne en frotte une et le feu prend tout de suite.

Une demi-heure plus tard, John revient avec les provisions.

— Qu'est-ce qui t'est arrivé, John? crie Anne, qui s'aperçoit qu'il est tout pâle.

— Oh, une aventure extraordinaire m'est arrivée! Je suis allé chez le seul épicier du village, et j'ai décidé de traverser les champs pour revenir plus vite. J'ai vu dans un champ un troupeau de vaches, mais je n'ai pas peur des vaches. Tout à coup, un taureau avec de grandes cornes est venu d'un coin, et a couru vers moi. Heureusement, j'ai couru plus vite que lui, mais j'ai **déchiré** mes pantalons. Je manque de courage devant les taureaux.

— Pauvre John! disent tous ses amis.

Vocabulary:

au bord (de)	at the edge (of)
déchirer	to rip

GRAMMAR NOTES FOR TEXT 17

72. Pronouns (see 57). You have already met the Direct and Indirect Object Pronouns which generally come before the verb. Similarly, the Pronouns 'Y' and 'EN' follow this rule.

'Y' means: there, in there, in it, on it.

'EN' means: some, any, of it, of them, from it, from them.

Examples:

Je suis le propriétaire de cette prairie et je vous donne la permission **d'y** camper.

I am the owner of this field and I give you permission to camp ***in it***.

Allez vite au village. Oui j'**y** vais tout de suite.

Go quickly to the village. Yes I am going *there* at once.

Où sont les allumettes? Je n'**en ai** pas.

Where are the matches? I haven't *any*.

Note: 'en' is often used in French when it would be omitted in English.

Qui a un crayon? **J'en** ai un—Who has a pencil? I have one (*of them*).

73. Revision of Imperatives (see 36). These are only used to give an **order or command** and can only be employed in the 2nd person singular and the 1st and 2nd person plural.

Examples:

Va vite chez l'épicier. **Allons** monter la tente. **Faites** attention.

Remember that the 's' is omitted in the 2nd person singular of -ER verbs but **not** of -IR or -RE verbs.

Attend**s** une minute *but* ach**ète** du beurre.

74. Irregular Imperatives. Avoir and Etre have an irregular form of the Imperative:

AVOIR		**ETRE**	
aie	have (singular)	sois	be (singular)
ayons	let us have	soyons	let us be
ayez	have (plural)	soyez	be (plural)

Examples:

N'ayez pas peur — do not be afraid
Soyez tranquille — don't worry (literally: be calm)

75. Irregular verb s'apercevoir—to perceive, to notice

Present tense

je m'aperçois	nous nous apercevons
tu t'aperçois	vous vous apercevez
il s'aperçoit	ils s'aperçoivent

Perfect tense

je me suis aperçu — I have perceived, noticed

76. Use of Reflexive verbs. Sometimes verbs which are usually reflexive cease to be so. In sentences when a verb (which is generally reflexive) *has a direct or indirect object other than the person doing the action*, it ceases to be reflexive, omitting the reflexive pronoun.

Examples:

Je **me** lave dans la salle de bain ('me'—direct object the same person as 'je')

but: Je lave **la vaisselle** (la vaisselle—direct object, so reflexive pronoun is omitted)

Elle **s'habille** à sept heures ('se'—direct object)

but: Elle habille **son fils** (son fils—direct object)

Apercevoir may also be reflexive or not:

Ils aperçoivent un joli **endroit** (direct object).

Anne **s'aperçoit** qu'il est pâle—Anne notices (to herself) that he is pale (se—indirect object).

EXERCISES FOR TEXT 17

1. **Répondez aux questions:** Où sont les amis? Qu'est-ce qu'ils font? Qu'est-ce qu'ils demandent au propriétaire du champ? Où vont-ils monter la tente? Qui va faire des commissions? Qu'est-ce qui lui arrive? Qu'est-ce qu'on achète chez le boulanger; chez le boucher; chez l'épicier; chez le fruitier?

2. **Complete the following** with 'y' or 'en' as required:

(1) Allez-vous à Paris? Oui, j' ... vais.
(2) Avez-vous du pain? Oui, nous ... avons.
(3) Campe-t-il dans cette prairie? Oui, il ... campe.
(4) Apportez-vous du beurre? Oui, j' ... apporte.
(5) Donne-t-il de l'argent? Non, il n' ... donne pas.
(6) Sommes-nous près de la rivière? Oui, nous ... sommes.
(7) Achète-t-elle du fromage? Non, elle n' ... achète pas.
(8) Allez-vous au village? Non, je n' ... vais pas aujourd'hui.
(9) Voyez-vous beaucoup d'autos? Oui, j' ... vois beaucoup.
(10) Etes-vous allé à Paris? Non, je n' ... suis pas allé cette année.

3. **Transform the following** into imperatives, or commands:

(1) Tu cherches du bois.
(2) Nous passons les allumettes.

(3) Vous êtes courageux.
(4) Tu donnes un crayon à ta soeur.
(5) Vous parlez français.
(6) Vous n'avez pas peur.
(7) Vous apportez du pain.
(8) Nous allons au village.
(9) Nous avons du courage.
(10) Tu n'es pas découragé.

4. Choosing the correct verb from each pair, complete the following:

(1) se lever —Je ... à six heures et demie
lever —L'enfant ... la table.

(2) s'habiller —La mère ... son enfant
habiller —Tu ... vite.

(3) se coucher —Les parents ... leur bébé
coucher —Nous ... de bonne heure.

(4) se laver —Elles ... dans la rivière
laver —Vous ... le plancher de la cuisine.

(5) se réveiller —Anne ... les garçons
réveiller —Le docteur ... tard le dimanche.

5. Racontez une aventure extraordinaire qui vous est arrivée.

TEXT 18

CLAIR DE LUNE

Après le souper, les quatre amis mettent beaucoup de branches sur le feu, puis ils s'asseyent. Ils parlent. Il fait beau; il y a des milliers d'étoiles au ciel. La lune se lève lentement derrière les arbres.

Richard se met à chanter:

'Au clair de la lune,
Mon ami Pierrot,
Prête-moi ta plume
Pour écrire un mot ...
Ma chandelle est morte,
Je n'ai plus de feu;
Ouvre-moi ta porte,
Pour l'amour de Dieu.'

Les autres chantent avec lui. Anne a une jolie voix. John est assis près d'elle. Jacques et Richard sont en face d'eux. La famille du fermier vient se joindre aux amis pour chanter avec eux. Quelques jeunes gens du village sont aussi venus, mais ils n'osent pas s'approcher tout près.

— N'ayez pas peur, crie Richard. Avancez. Approchez-vous. Asseyez-vous **autour** du feu. A qui sont ces cigarettes?

— Elles sont à moi, dit Jacques. Passe-les-leur.

— J'espère que nous ne vous dérangeons pas, Monsieur Duval, dit Jacques au cultivateur.

— Vous ne me dérangez **pas du tout,** au contraire, lui répond le fermier. Vous nous apportez un peu de distraction. Je vous permets de chanter et de faire du bruit **jusqu'à** dix heures. A dix heures on va se coucher parce qu'on se lève avec le soleil dans une ferme. En ce moment, nous faisons la **moisson** et heureusement la récolte est bonne. Et bientôt en automne, nous allons labourer le sol et **semer** le blé. Tous ces champs que vous voyez sont à nous. Chez nous, il y a toujours beaucoup de travail, **même** en hiver. En été, il faut faire les **foins;** ça ne finit pas. Mais maintenant nous nous reposons un peu. Donnez-nous un petit concert et racontez-nous des histoires.

Tout le monde s'assied en cercle. On chante, on parle, on raconte des histoires drôles, on rit.

— Oh, moi, j'ai chaud, dit tout à coup Anne. Qui vient se promener avec moi?

— Moi aussi, j'ai trop chaud, dit John. Je viens me promener avec toi. Allons au bord de la rivière.

Ils se promènent ensemble **le long** de la rivière, si jolie au clair de lune ... Nous ne sommes pas allés avec eux parce que nous sommes discrets. Nous sommes restés près du feu pour écouter une histoire. C'est une conversation entre un pêcheur et un paysan:

Le pêcheur : Pardon, mon ami ... est-ce qu'on peut pêcher ici?
Le paysan : Ah, ça, non, Monsieur.
Le pêcheur : Vraiment? Est-ce que c'est un crime de prendre un poisson dans cette rivière?
Le paysan: Un crime, non, mais un miracle, sûrement, Monsieur!

Vocabulary:

autour (de)	around
pas du tout	not at all
jusqu'à	until
même	even (as well as 'same')
le long (de)	along
la moisson	harvest
semer	to sow
le foin	hay

GRAMMAR NOTES FOR TEXT 18

77. Pronouns (see 57 and 72). Another set of Pronouns are called the STRONG OR STRESSED Pronouns. Unlike the Direct Object and Indirect Object, these do NOT come before the verb but **always follow a preposition,** the most common of which are:

à	at, to	comme	like, as
après	after	de	of
avant	before	pour	for
avec	with	sans	without
chez	at, to, the house	vers	towards

Strong Pronouns

moi	me	nous	us
toi	thee, you	vous	you
lui	him, it	eux	them (masc.)
elle	her, it	elles	them (fem.)

Examples:

Il est assis près **d'elle.** Qui vient **avec moi?** **Chez nous,** il y a beaucoup de travail. Vous allez **sans eux.** **Comme toi,** j'ai chaud.

Important note: The preposition 'à' followed by a strong pronoun (or a proper noun) has a special meaning. It indicates ownership or possession.

Examples:

ces champs sont **à nous**	these fields are *ours*
Elles sont **à moi**	they are *mine*
elles sont **à Richard**	they are *Richard's*
also **à qui** sont ces cigarettes?	*whose* are these cigarettes?

Note: strong pronouns are also used to emphasize the subject: **Moi** aussi, j'ai chaud.

78. Imperatives with Pronouns. Direct and Indirect Object Pronouns usually come before the verb but here is the exception to this rule:

When the verb is an Imperative, giving an order or command (not a negative command) Direct and Indirect Object Pronouns come AFTER it.

Examples:

Vous me donnez des allumettes	*You* give me some matches
but: Donnez-**moi** des allumettes	*Give me* some matches (command)
Nous **les** invitons chez nous	*We* invite them to our house
but: Invitons-**les** chez nous	*Let us invite them* to our house
Tu **leur** passes des cigarettes	*You* pass them the cigarettes
but: Passe-**leur** des cigarettes	*Pass them* some cigarettes

Note: ME and TE become MOI and TOI when following the verb:

Prête-**moi** ta plume   Ouvre-**moi** ta porte

79. Imperatives of Reflexive verbs. Just as ordinary verbs drop the Subject Pronoun to form the Imperative ('allons à la ferme' omitting 'nous' and 'fermez la porte' omitting 'vous') so *Reflexive verbs also drop the Subject Pronoun but they retain the reflexive pronoun which, being a direct or indirect object, must now come after the verb.*

Examples:

Vous vous approchez	*but*	approchez-*vous*
Tu t'habilles vite	*but*	habille-*toi* vite
Nous nous promenons ici	*but*	promenons-*nous* ici

80. Irregular verb S'ASSEOIR—to sit down

je m'assieds	nous nous asseyons
tu t'assieds	vous vous asseyez
il s'assied	ils s'asseyent

Note: s'asseoir means to do the action of sitting down.

If the action of sitting has already been completed and you wish to say 'I am sitting down' meaning 'I am seated' you must use the verb '*ETRE ASSIS*'.

There is a similar difference between the verbs *se lever* (to stand up, doing the action) and *être debout* (to be standing, having completed the action of standing).

EXERCISES FOR TEXT 18

1. **Répondez aux questions:** Qui a mis du bois sur le feu? Qui sont les personnes assises autour du feu? Pourquoi ne peut-on pas chanter après dix heures? Qui va se promener au bord de la rivière? Pourquoi ne va-t-on pas avec eux? En quelle saison fait-on la moisson? Qu'est-ce qu'on moissonne? Quel travail fait-on en été? Qu'est-ce qu'il faut faire en automne? Connaissez-vous des chansons françaises?

2. **Complete the following** with the necessary pronouns:

(1) Voilà des enfants : donnez- ... des bonbons.
(2) Mon frère est timide : parlez- ... un peu.
(3) Cette lettre est à moi : tu veux ... la donner?
(4) Vous êtes aimables : je ... permets de camper ici.
(5) Les amis sont avec le fermier : il ... raconte des histoires drôles.

3. **Complete the following** with the verb in brackets:

(1) (se dépêcher) John ... de faire les commissions.
(2) (se préparer) Le docteur et sa femme ... à sortir.
(3) (se réveiller) Je ... à sept heures.
(4) (se laver) Vous ... dans la salle de bain.
(5) (se promener) Nous ... au clair de lune.
(6) (s'asseoir) Nous ... autour du feu.
(7) (se lever) Tu ... de bonne heure.
(8) (s'habiller) Elle ... à la hâte.
(9) (s'approcher) Ils ... du feu.
(10) (se mettre) Le train ... en marche.

Repeat this exercise, using the **Perfect Tense.**

4. **Using the Strong Pronouns,** complete the following:

(1) Anne est seule; va avec...
(2) Où est John? Vous arrivez sans ...
(3) Nous sommes les premiers parce qu'il est parti après ...
(4) Voilà les enfants; allez au cinéma avec ...
(5) Je suis seul; asseyez-vous près de ... et parlez- ... français.
(6) Voilà ton crayon; est-ce que ce livre est aussi à ...
(7) Il a une tente; permettez- ... de camper ici.
(8) Nous avons faim; prépare-... un bon dîner.
(9) Est-ce que vous avez le téléphone chez ...?
(10) Mes amies portent de nouvelles chaussures; je veux m'habiller comme ...

5. **Traduisez en anglais:** Mon père est assis au jardin; ma mère arrive et s'assied près de lui. Ils sont assis près d'un arbre et lisent. Je me lève et je vais près d'eux. Je suis debout près de la table. 'Assieds-toi par ici', dit ma mère. 'Ah, on est bien assis sous cet arbre' lui ai-je dit, et je me suis mis à lire aussi.

TEXT 19

LA FERME DE MONSIEUR DUVAL

6 heures du matin. Le soleil est déjà haut dans le ciel rose et bleu. Le coq a déjà chanté dix fois **au moins.**

Le fermier s'est levé avec le soleil — il faut se lever **tôt** dans une ferme parce qu'il y a toujours beaucoup de travail. Les animaux et les champs ont besoin de l'attention de leurs maîtres.

Au bord de la rivière rien n'a bougé dans la tente de nos amis. Ils ne sont pas sortis si tôt. Six heures et demie ... personne ne s'est réveillé; on n'a rien entendu. A huit heures Anne s'est réveillée et s'est habillée à la hâte. Elle veut laver du linge et quelques **chaussettes** des garçons avant de préparer le petit déjeuner. A ce moment, Jacques est sorti de la tente. Il a couru se baigner dans la rivière; elle est assez profonde et on peut y nager.

— Venez vite, dépêchez-vous! crie Jacques aux deux autres garçons qui le regardent d'un air endormi. Réveillez-vous, ou je vous pousse dans l'eau en pyjama! Regardez-moi, que je suis courageux! Et, non, ne me regardez pas, allez vous changer. Mais ne vous baignez pas près de ces arbres, ce n'est pas assez profond. **Attention!** Un moustique! Il y en a des masses! Quels affreux insectes!

Les jeunes gens se sont baignés, puis ils ont mangé avec plaisir leur petit déjeuner qu'Anne leur a préparé.

Mariette Duval, la fille du fermier, est venue les inviter à visiter la ferme. Elle a les cheveux brun **foncé,** des joues rouges et une bouche souriante. Dans la cour de la ferme les poules, le bec ouvert, attendent. Mariette a des grains dans un **seau,** elle les leur donne et elles les mangent avec avidité. Bientôt, il n'en reste plus.

Le fermier et la fermière sont sortis de l'étable avec des seaux pleins de lait encore chaud. Anne en boit une tasse avec plaisir. Les vaches et les chèvres sont impatientes — elles veulent retourner dans les prairies pour y manger l'herbe fraîche. Un chien de chasse aux longs poils, accompagne

Monsieur Duval, qui chasse **quelquefois,** mais ce n'est pas un bon chasseur; **de temps en temps** il tue un lapin! Il emploie des tracteurs et un camion, mais il a aussi quelques chevaux et deux boeufs. Les cochons se pressent pour manger les vieilles pommes de terre qu'on leur a données.

— Regardez-les; qu'ils sont gourmands! Je vais leur en donner encore une fois, dit Mariette. Ils ne sont jamais satisfaits.

John et ses amis ont **plié** leur tente. Ils ont nettoyé le camp parce qu'ils ne veulent pas laisser de traces de leur passage. Ils sont ensuite allés remercier la famille Duval de leur hospitalité et se sont mis en route.

Vocabulary:

au moins	at least
tôt	early
attention!	look out!
quelquefois	sometimes
de temps en temps	from time to time
une chaussette	a sock
foncé	deep (colour)
un seau	a bucket
plier	to fold

GRAMMAR NOTES FOR TEXT 19

81. Negative Imperatives. In the last text we noted that Pronouns **follow** the verb only when it is an Imperative, giving a command or order. When, however, the verb is giving a negative command or prohibition, the pronouns revert back to their original position and **come before the verb.**

Positive Command		*Negative Command*
Regardez-**moi**	*but*	**ne me** regardez **pas**
parlons-**leur**	*but*	**ne leur** parlons **pas**
donne-**lui** du pain	*but*	**ne lui** donne **pas** de pain

Similarly:

Reflexives:

Dépêche-**toi**	*but*	**ne te** dépêche **pas**
baignons-**nous**	*but*	**ne nous** baignons **pas**
asseyez-**vous** ici	*but*	**ne vous** asseyez **pas** ici

82. Negatives. You have already learned how to say 'not' by putting 'ne ... pas' on each side of the verb. Here are some more negatives which are used in the same way:

ne ... jamais	never
ne ... plus	no longer, no more

There are also some pronouns which follow the same rule:

ne ... personne	nobody, no one
ne ... rien	nothing

It is important to note the difference when these pronouns are (*a*) the OBJECT and (*b*) the SUBJECT of the verb.

In (*a*) the **'ne'** comes **before** and the **pronoun after** the verb.

In (*b*) the **pronoun** comes first, followed by **'ne'** and BOTH come **before the verb.**

Examples:

elle **n'a** vu **personne**	she has seen *nobody* (object)
on **n'a rien** entendu	they have heard *nothing* (object)
Personne ne s'est réveillé	*nobody* woke up (subject)
rien n'a bougé	*nothing* has moved (subject)
Ils **ne** sont **jamais** satisfaits	they are *never* satisfied
Bientôt il **n'**en reste **plus**	Soon there is *no more* left

83. Order of Pronouns. When two pronouns occur in the same sentence and both come before the verb, there is a certain word order which must be remembered:

Subject Pronoun	*Negative*	*Pronouns*					*Verb*	*Negative*
je	ne	me					"	pas
tu	"	te	le				"	"
il, elle	"	se	la	lui	y	en	"	"
nous	"	nous	les	leur			"	"
vous	"	vous					"	"
ils, elles	"						"	"

Examples:

Il **nous les** donne. je **le lui** ai donné

Nous ne **vous y** rencontrons pas.

Tu ne **me l'**as pas rendu. Ils **leur en** donnent

General rule. When both pronouns are 3rd person (singular or plural) the Direct Object comes first. In all other cases, the Indirect Object comes before the Direct Object.

EXERCISES FOR TEXT 19

1. Répondez aux questions: Comment est le ciel le matin? Où est la tente? A quelle heure Anne s'est-elle réveillée? Qu'est-ce que Jacques a fait? Où n'ont-ils pas pu se baigner? Où sont-ils allés après le petit déjeuner? Qu'est-ce que les poules mangent? Quels animaux habitent la ferme? Aimez-vous les animaux? Si vous en avez, décrivez-les.

2. Put the following into the Imperative:

(1) Vous ne venez pas lui parler.
(2) Nous n'allons pas le trouver.
(3) Vous ne lui donnez pas la permission de sortir.
(4) Tu ne te couches pas dans cette tente.
(5) Nous ne nous dépêchons pas ce matin.
(6) Nous avons du courage.
(7) Vous n'avez pas peur.
(8) Nous ne sommes pas inquiets.
(9) Vous êtes tranquilles.
(10) Tu es courageux.

Repeat the first five sentences, removing the negative and when necessary altering the position of the Pronouns.

3. Substitute pronouns (using le, la, les, lui, leur, y, en) for the nouns in italics in the following:

(1) Traversez *la rivière*
(2) Prenez *les allumettes*
(3) Rendez l'argent *au garçon*
(4) Allumez *le feu*
(5) Apportez de l'eau *aux vaches*
(6) Cherchez *du bois*
(7) Mangez *des légumes*
(8) Donne du pain *à tes amis*
(9) Allez *au village*
(10) Campez *dans cette prairie*

4. **Complete the following** using ne ... jamais, plus, rien and personne.

(1) John et Richard ... se réveillent ... avant 7 heures
(2) Anne ... a ... entendu pendant la nuit
(3) Quand les enfants se baignent, il ... y a ... dans la tente
(4) ... ... a besoin de manger du pain sec
(5) Il ... y a ... de bois pour mettre sur le feu.

5. **Substitute pronouns** (as above) for the nouns in italics

(1) Je donne *le pain à l'enfant*
(2) Nous ne donnons pas *les pommes de terre aux cochons*
(3) Vous racontez *une histoire aux garçons*
(4) Ils n'ont pas acheté *les fruits aux enfants*
(5) Elles n'ont pas donné *le pain aux jeunes filles*
(6) On a mis *les fleurs dans le vase*
(7) Je parle *de ce livre à mes amis*
(8) Vous n'avez pas envoyé *le journal à Mme. Bourjois*
(9) Nous avons déjà parlé *de ce journal à Anne*
(10) Il ne rencontre pas *les jeunes filles au marché*

6. **Compose sentences** with the following groups of words:

Present Tense (1) John, avoir, peur, taureau
(2) Mariette, jeter, grains, poules
(3) Les jeunes, qui, avoir, soif, boire, lait

Past Tense (1) Les amis, qui, plier, tente, nettoyer, camp
(2) John et Anne, aller, dire, bonjour, famille

TEXT 20

AU RESTAURANT A CANNES

Les quatre amis sont enfin arrivés au bord de la mer Méditerranée sur la Côte d'Azur. Ils ont traversé Cannes, mais ils ne s'y sont pas arrêtés. A Cannes, comme à Nice, tout est cher.

Le long de la côte, personne ne peut camper **en dehors des** terrains de camping autorisés. Heureusement, Jacques et Richard connaissent une famille qui possède une villa et un grand jardin où ils reçoivent la permission de monter leur tente. Ils ont décidé de retourner à Cannes manger un bon dîner dans un restaurant. La cuisine d'Anne est mal considérée ce soir, celle d'un restaurant est meilleure.

Anne met sa jolie robe en coton. Les garçons, eux aussi, se changent. Ils se rasent et se coiffent. Ils ont mis des chemises propres et ont changé leurs culottes courtes pour des pantalons; ceux de John sont blancs, ceux des autres sont gris. John veut mettre une cravate mais Jacques et Richard se moquent de lui.

— Nous ne voulons pas aller dans un grand restaurant, tu sais, lui disent-ils, tu n'en as pas besoin.

— Bon, bon, je comprends, dit John. J'oublie quelquefois que je suis en France.

Ils arrivent à Cannes et cherchent un restaurant.

— Avez-vous vu celui-là, là-bas? Chaque table a un parasol rouge.

— Oui, mais jette un coup d'oeil sur celui-ci, ici. Il y a des tapis presque sur le trottoir et presque **autant de** garçons **que** de clients, dit Jacques.

— Et pas de prix sur le menu! Venez voir celui que je vous ai montré. Vous voyez, le menu n'est pas trop cher et ça sent bon. Oh, j'ai faim!

— Il y a beaucoup de monde. Je ne sais pas si nous allons trouver une table.

— Ici, celle-ci est libre.

— Non, celle-là dans le coin là-bas est mieux placée. On a une jolie vue sur le port, et la mer. Regardez les bateaux à voiles — qu'ils sont gracieux au soleil couchant!

—Je vois mal parce que j'ai le soleil dans les yeux et j'ai oublié mes lunettes de soleil.

Le garçon arrive et leur apporte le menu. Chacun choisit un plat régional. Le plat le plus connu est la 'Bouillabaisse' — un mélange de différents poissons. Le garçon met le couvert : les assiettes, les couteaux, les fourchettes, les cuillers, les verres, et le panier à pain. A la fin du repas Jacques dit d'un air moqueur :

— Voilà le meilleur repas de ce voyage!

Il appelle le garçon:

— Garçon, l'addition, s'il vous plaît.

Jacques ne lui donne pas de pourboire parce que le service (dix pour cent) est compris dans l'addition.

Nous disons maintenant 'Au revoir' à nos amis, qui continuent leur voyage. Nous espérons les rencontrer l'année prochaine!

Vocabulary:

en dehors de	outside
autant de ... que	as many ... as

GRAMMAR NOTES FOR TEXT 20

84. Demonstrative Pronouns. *The Demonstrative Adjectives* (ce, cet, cette and ces) *have corresponding Pronouns.*

Masculine	*Feminine*	*Masculine plural*	*Feminine plural*
celui	celle	ceux	celles
(this one, that one)		(these ones, those ones)	

Examples:

Ce garçon est grand, mais **celui** qui joue est petit. (This boy is tall, but *this one* who is playing is small.)

Ces fleurs sont jolies mais je préfère **celles** que j'ai. (These flowers are pretty, but I prefer *these* I have.)

To distinguish between 'this' and 'that' add -ci or -là to the noun or pronoun:

Cette table-**ci** est libre mais **celle-là** est mieux placée. (*This* table is free but *that one* is better placed.)

Quel restaurant? Avez-vous vu **celui-là**? Oui, mais **celui-ci** a beaucoup de monde. (Which restaurant? Have you seen *that one*? Yes but *this one* has a great many people.)

85. Revision of Adjectives (see 18, 19, 26).

Possessive		*Interrogative*		
mon ma mes	my	quel	quelle	which?
ton ta tes	your	quels	quelles	what?
son sa ses	his, her			
notre nos	our	*Demonstrative*		
votre vos	your	ce, cet	cette	this, that
leur leurs	their	ces	ces	these, those

Note also the adjective **chaque** each, every
pronoun **chacun**(e) each one, every one

Examples:

chaque table a un parasol	*each* table has a sunshade
chacun choisit un plat	*each one* chooses a dish

There are no plurals for chaque and chacun.

86. Irregular Comparatives. Just as we do not say 'good, gooder, goodest' so the French have special forms for 'bon' (adjective) and 'bien' and 'mal' (adverbs) in the Comparative and Superlative.

Adjectives

bon (good)	meilleur (better)	le meilleur
bonne (good)	meilleure	la meilleure
bons	meilleurs	les meilleurs
bonnes	meilleures	les meilleures
mauvais	{ pire plus mauvais	{ le pire le plus mauvais

Adverbs

bien (well)	mieux (better)	le mieux (best)
but mal (badly)	plus mal (worse)	le plus mal (worst)

87. Irregular verbs

SAVOIR and **CONNAITRE** both meaning to know.

je sais	je connais
tu sais	tu connais
il sait	il connaît
nous savons	nous connaissons
vous savez	vous connaissez
ils savent	ils connaissent

Past Participles: SU and CONNU
Imperative of savoir: sache, sachons, sachez.

SAVOIR means **to know** *in the sense of* '*to have knowledge of*' to know how, when or where.

CONNAITRE means **to know** *in the sense of* '*to be acquainted with*' (especially people and places) to know through one of the senses.

Je **sais** où est l'homme que vous **connaissez.** (I *know* where the man is with whom you *are acquainted.*)

EXERCISES FOR TEXT 20

1. **Répondez aux questions:** Comment s'appelle la côte sud de la France? Nommez des villes qui s'y trouvent. Où les amis mangent-ils ce soir? Que font-ils avant de partir? Nommez tous les vêtements que vous connaissez. Décrivez le restaurant où ils vont manger. Quelle vue a-t-on de la terrasse du restaurant? Comment fait-on la 'Bouillabaisse'? Qu'est-ce qu'on demande à la fin du repas? Comment met-on le couvert?

2. **Replace the Demonstrative adjective and noun** by the suitable Demonstrative Pronoun:

(1) Cet homme-ci est plus âgé que cet homme-là
(2) Cette belle jeune fille est l'amie de ces jeunes filles-là
(3) Ces cochons sont plus grands que ces porcs-là
(4) Cette étoffe-ci est meilleure que ces étoffes-là
(5) Je préfère ces prunes que j'ai achetées à ces raisins que vous apportez.

3. **Put suitable adverbs** in the following:

(1) J'écris ... mais mon frère écrit ... que moi
(2) Il ne faut pas écouter cette dame qui chante si ...
(3) Si elle chante ... sa soeur chante encore ...
(4) De tous les enfants, j'aime celui-ci ... ...
(5) Cet enfant étudie ...; il travaille ... que tous les autres.

4. **Using 'connaître' or 'savoir'** as required, complete the following:

(1) Je ... la rue où il habite, mais je ne ... pas le nom de cette rue.
(2) Cet enfant ... ses leçons
(3) ... -tu le pays? ... -tu où on fait la bouillabaisse?
(4) ... -vous cet homme? ... -vous son nom?
(5) Ces paysans ... les chemins de la forêt.

5. **Using the appropriate possessive, demonstrative, or interrogative adjective,** complete the following:

(1) (my) gants sont rouges; (her) chaussures sont bleues; (which) couleur préférez-vous?
(2) (our) amis sont assis à (this) table; ils ont pris (their) places de bonne heure
(3) (what) heure est-il? Anne veut parler à (her) frère à dix heures
(4) (these) filles connaissent (my) tante et (your) mère mais elles n'ont jamais parlé à (his) parents
(5) (what) devoirs faites-vous ce soir? Nous avons déjà fait (our) thème et (your) mathématiques.

6. Vous avez fini votre première année de français. Qu'est-ce que vous en pensez, Mesdames, Mesdemoiselles, Messieurs? Avez-vous aimé l'histoire de la famille Bourjois? Quel est votre personnage préféré? Avez-vous envie d'aller en France? Nous souhaitons 'Bon voyage' à tous nos élèves!